제22대 총선 선거 캠프 이야기

- 제22대 총선 울산 남구을 100일의 기록

문지후 지음

제22대 총선 선거 캠프 이야기

발 행 | 2024년 5월 02일
저 자 | 문지후
펴낸이 | 한건희
펴낸곳 | 주식회사 부크크
출판사등록 | 2014.07.15.(제2014-16호)
주 소 | 서울특별시 금천구 가산디지털1로 119 SK트윈타워 A동 305호
전 화 | 1670-8316
이메일 | info@bookk.co.kr

ISBN | 979-11-410-8357-1

www.bookk.co.kr

제22대 총선 선거 캠프 이야기

- 제22대 총선 울산 남구을 100일의 기록

문지후 지음

들어가는 말

2024년 4월 10일 치러진 선거는 윤석열 정부 심판 선거였다. 휘어진 법의 공정성을 바로 세우는 선거였으며, 파탄 난 민생 경제를 다시 세우는 선거였다. 국민은 더 이상 국민을 위하는 정치 대신 자신의 사리사욕을 위한 정치를 용납하지 않겠다는 의지 표명의 선거였다.

울산 남구을 국회의원 선거는 1+1 선거였다. 대한민국 대통령 윤석열과 전 여당 대표 김기현을 동시에 심판하는 선거였다. 그리고 위대한 국민이 승리했다.

필자는 선거사무소 총괄 상황실장을 맡으며 이번 선거를 기획하고 실행했다. 그리고 필요할 때마다 연설문과 보도 자료와 유튜브 방송과 텔레비전 토론과 라디오 방송 등의 원고를 후보와 머리를 맞대고 적었다. 선거가 끝난 후에 보니 책 한 권 분량이 되었다.

하지만 보수색이 짙은 울산에서 국민의 힘 김기현 후보를 이기기에는 한계가 있었다.

22대 총선을 치르며 많은 여론조사기관에서 수많은 여론조사가 있었다. 하지만 울산 남구을에 대한 여론조사는 단 한 건에 불과했다. 그것도 선거를 치르기 전 2023년 12월에 있었던 여론조사였다. 그 여론조사에서 지지율이 김기현은 43%, 박성진은 26%였다. 17%의 차이가 났다. 그런 여론조사를 접하고 박성진이 이길 것으로 생각한 여론조사기관이 없었다. 그리고 다른 지역 언론사에서 흔하게 하는 지역 후보의 여론조사도 울산은 단 한 번도 하지 않았다. 여론조사기관만이 아니라 전국적인 당선 가능성에 김기현을 꼽았다. 울산은 전통적으로 보수 성향이 강하며, 국민의 힘 깃발만 꽂으면 당선이 되는 지역이라 여론 조사할 필요성조차 느끼지 못하는 것 같았다. 그런 상황에도 불구하고 우리는 마지막까지 최선을 다했다. 전국적으로는 선거에서 민주당은 압도적인 승리를 거두었다. 하지만 우리는 패배했다. 비록 패했지만, 민주주의 국가에서 선거는 가장 아름다운 꽃이다.

　정치에 관한 많은 책이 있다. 하지만 선거 캠프에서 선거를 치르며 쓴 글을 엮은 책은 드물다. 그렇기에 이 책은 향후 선거를 준비하는 사람들에게 좋은 안내서가 되리라 믿는다.

2024년 4월 10일

목차

들어가는 말

4장, 더불어 잘 사는 울산

* 달빛 어린이병원 유치
* 대기업, 공공기관 40% 우선 채용
* 부유식 해상풍력사업
* 주요 공약 기자회견
* 소상공인·자영업자 여러분!
* 태화강역 활용
* 재생에너지 관련 산단 내에 태양광 설치 법안 제정

마치는 글

1장. 기꺼이 거름이 되어

*기꺼이 거름이 되어

아픈 사람의 상처를 헤아리려면
아파보아야만 알 수 있습니다.
입만 열면 서민을 위한다는 수많은 사람
서민이 되어보지 않은 그들이
서민의 아픔을 알까요?
서민의 아픔을 헤아리기 위해
환경미화원이 되고 택시 운전사가 되어
그들과 함께 울고 웃는 사람이 있습니다.

대한민국엔 폐지 줍는 사람,
병에 걸려도 치료도 못 받고 죽는 사람,
비정규직과 하루살이 일용 노동자 등
많은 사람이 신음하고 있습니다.
그들의 아픔을 진심으로 안아주는
여기 마음 따뜻한 사람이 있습니다.

울산 남구에는 많은 보물이 숨겨져 있습니다.
그 보물들은 어서 찾아서
활용해 주기를 바라고 있습니다.
박성진은 그 보물을 발견하여
울산 남구를 위해 반짝반짝
빛나도록 만들 것입니다.

박성진과 함께라면 울산 남구는
더 이상 한숨 쉬지 않고
미래를 꿈꾸는 도시가 될 것입니다.
살기 힘들어 숨이 막혀 죽을 것 같은 사람에게
박성진은 산소가 될 것입니다.
누구보다 민생을 잘 아는
행복한 남구를 만들 그의 이름은 바로 박성진입니다.

꽃피고 열매 맺는 대한민국을 위해
기꺼이 거름이 되기로 자처한 사람
그가 있어 대한민국은
봄의 향기로 가득 찰 것입니다.

*제22대 국회의원 선거 울산 남구을 박성진 출마선언

안녕하세요. 인사드리겠습니다.
시민과 함께 발로 뛰는 현장 정치인 박성진입니다.

우리에게는 변화가 필요합니다. 저는 변화의 선봉장이 되기 위해 이 자리에 섰습니다. 더 이상 방치하면 회복 탄력성을 잃어 우리나라는 절벽으로 떨어집니다. 한때 선진국이었던 아르헨티나는 지금 개발도상국보다 못한 현실에 처해 있습니다. 지도자가 잘못한 결과입니다. 지금 대한민국 호는 침몰 중입니다.

윤석열 정부는 독선과 독단 그리고 오만으로 가득 차 국민의 목소리에 귀를 닫고 있습니다. 살기 어려워 죽겠다는 민생은 돌보지도 않고 해외여행만 다니고 있습니다.

우리는 언제까지 이런 말도 되지 않는 상황을 계속 보고만 있어야 합니까? 더 이상 이런 상황이 지속되면 대한민국은 회복 탄력성을 잃어버려 아르헨티나처럼 되고 말 것입니다.

변화가 필요합니다. 더 늦기 전에 변화해야 합니다. 독립투사가 목숨을 바쳐 되찾은 대한민국입니다. 많은 민주투사가 피를 흘려 지킨 민주주의입니다. 우리의 부모님이 잠을 설쳐가며 이룩한 경제 대국입니다. 그렇게 눈물과 땀으로 이룬 대한민국호가 지금 침몰하고 있습니다.

서민은 하루 살기가 가시밭길을 걷는 것과 같습니다. 택시 운전을 하며 만난 시민은 하나같이 살기 어렵다고 말했습니다. 그 말은 가시가 되어 저의 가슴을 찔렀습니다. 폐지를 줍는 등 굽은 노인을 바라보며 눈물을 흘렸습니다. 봉사활동을 가서 냄새나는 고독한 노인의 방을 보고 한숨을 쉬었습니다. 의료보험이 밀리고, 월세를 내지 못해 스스로 목숨을 끊었다는 가족의 기사를 보며 땅을 쳤습니다.

아직도 우리나라에는 이렇게 어렵게 살아가는 사람이 수도 없이 많습니다. 그런데 이렇게 절박한 민생은 뒤로한 채 윤석열은 세계 곳곳으로 국빈 대접을 받으며 천문학적인 돈을 써가며 여행을 다니기에 급급합니다. 엑스포를 유치한다고 떠벌리며 2년간 5,744억을 쓰며 해외여행을 다녔습니다. 그런데 결과는 어떻습니까? 겨우 29표를 얻었습니다. 그 정도의 표는 돈을 써가며 해외를 다니지 않아도 대한민국의 이름만으로 얻을 수 있는 표입니다.

공정과 상식이 통하는 세상을 만들겠다던 윤석열. 지금 우리는 공정한 시대, 상식이 통하는 시대에 살고 있습니까? 대통령이 되자마자 이준석을 비롯한 여당 인사를 탄압했습니다. 야당은 말도 못 하게 탄압했습니다. 특히 이재명 대표에게는 검사를 동원하여 376회라는 먼지 털 이식 압수수색을 했습니다. 그런데 김건희에 대해서는 수사조차 하지 않고 있습니다. 그것은 국민 누구나 다 아는 사실입니다. 이게 윤석열이 말하는 공정입니다. 이것이 과연 상식적인 공정입니까?

후쿠시마 핵 오염 수에 반대하기는커녕 우리나라의 세금으로 문제없다는 홍보 영상을 만들어 국민을 기만하고 징용공 문제와 위안부 문제 등을 마음대로 일본과 합의해 주었습니다. 많은 친일 행각에 치가 떨립니다. 더구나 누구나 알고 존경하는 독립투사인 홍범도 장군을 공산당으로 만들었습니다.

1970년대 유신독재 시절에도 일어나지 않았던 일이 21세기에 일어나는 기막힌 상황을 우리는 현실로 대하고 있습니다. 윤석열 정부는 정말 문제 백화점입니다. 이렇게 문제점이 많은 대통령은 전무후무합니다.

국민을 우습게 알고 양평 고속도로 노선을 자신의 처 김건희 땅이 있는 곳으로 바꾸는 등 자신의 사리사욕만 채우는 정권. 우리는 더 이상 용납해서는 안 됩니다. 윤석열이 변화를 거부한다면 이제 국민이 나서서 변화시켜야 합니다. 그러려면 민주당이 힘이 있어야 합니다.

저는 변화의 선봉에 서서 민생을 살피고 더 나은, 더 이상 대한민국이 추락하지 않게 하려는 절체절명의 마음으로 국회의원에 출마하였습니다.

울산은 지금 나락으로 추락하고 있습니다. 울산은 점점 더 살기 어려워지고 있습니다. 탈 울산이 계속되고 있으며 출생률은 0.85명으로 전국 최저 도시 중 하나가 되었습니다. 더구나 남구는 출생률이 0.8명에 불과합니다. 청년은 울산을 떠나고 있으며 울산에 남은 청년도 결혼하지 않고 있습니다. 그만큼 살기가 어렵기 때문입니다.

울산 시민은 그동안 국민의 힘이라는 붉은 깃발만 꽂으면 국회의원으로 밀어주었습니다. 그런데 국민의 힘 국회의원은 진정 울산을 위해 무엇을 했습니까? 전보다 살기가 나아졌다고 말하는 시민을 만나기가 어려웠습니다. 다들 어렵다고, 살기 어렵다고 말하고 있습니다. 이제 진짜 변화가 필요합니다. 더 이상 시간을 지체하면 돌이킬 수 없습니다.

울산 남구에는 많은 보물이 숨겨져 있습니다. 그 보물들은 어서 찾아서 활용해 주기를 기다리고 있습니다. 저는 택시 운전을 하며 시민의 목소리에서 수많은 보물을 발견했습니다. 그렇게 발견한 보물을 이제 울산 남구를 위해 반짝반짝 빛나도록 하겠습니다.

박성진과 함께라면 울산 남구는 더 이상 한숨 쉬지 않고 미래를 꿈꾸는 도시가 될 것입니다. 살기 힘들어 숨이 막혀 죽을 것 같은 사람에게 박성진은 산소가 될 것입니다.

행복한 남구, 박성진과 함께 만들어 갑시다. 누구보다 민생을 잘 아는 박성진이 여러분을 위해 현장에서 발로 뛸 것을 약속드립니다.

*박성진이 생각하는 미친(美親)의 참 의미
- 선거 슬로건을 "미친(美親)"이라 붙였다.

　박성진 캠프 **"미친(美親)"** 슬로건에 대해 많은 분이 관심을 두고 계십니다. 아름다울 미 美에 친근할 친 親이라는 한자적인 뜻풀이로 봐주셨으면 좋겠습니다. 아름답고 친근한 시민의 발이 되어 남구를 위해 미친 듯이 일하고 싶다는 의지를 담아낸 것입니다. 단순히 선거사무소 외벽 현수막에 있는 미친 이라는 워딩만 보면 충분히 오해하실 수도 있습니다. 뭐지? 왜 저러지? 정말 미친 거 아니야? 등등 그러실 수 있습니다.

　사실 저희의 풀 슬로건은 **"남구에 미친 남구를 위한 혁신"**입니다. 외벽 현수막을 자유롭게 게첩할 수 있는 상황이 여의치 않아 제한된 공간에다 게첩하다 보니 글자 수를 줄이고 줄여 '미친 박성진'이란 현수막이 걸리게 된 것입니다.

　또한 미친 의 의미가 부정적인 측면도 있지만, 긍정적으로도 미친 이라는 단어를 실생활에서 많이 쓰고 있습니다. '공부에 미쳤다. 사랑에 미쳤다. 일에 미쳤다.' 등등 많은 의미가 실생활에서 쓰이고 있습니다. 실제로 이 미쳐 돌아가는 윤 정권에 대항하기 위해선 미치지 않고서는 불가능합니다.

　저 박성진의 **"미친(美親)"**에 대한 정의는 도전입니다. 과거에도 그랬고 현재에도 저는 지금 도전하고 있기 때문에 박성진의 미친은 도전인 것 입니다. 스스로에게 도전하고 여당에 도전하며, 이 무능하고 독단적인 정권에 도전하고 있는 겁니다.

　더불어민주당을 사랑하는 일반 시민 분들과 당원님들. 저 박성진에 대한 당근과 채찍 감사드립니다. 하지만 왜 저런 단어를 썼을까? 왜 저렇게 강한 단어를 선택했지? 왜 그랬을까? WHY에 대해 한 번쯤 생각해 주셨으면 좋겠습니다.

미친다는 것은 그것이 아니면 죽는다는 것이다.
미친다는 것은 한 가지만 생각한다는 것이다.
그것은 한 가지에만 몰입한다는 것이다.
다른 것은 생각하지 않는다는 것이다.
그 단 한 가지 그것이 바로 남구을이다.
남구을에 사는 사람이 행복하게 살기 위해서
박성진이 가진 모든 것을 바친다는 뜻이다.
그것이 남구을에 미친 박성진이다.

*좋은 정책의 연속성을 위해 민선 7기 울산시장 비서실장과 함께합니다.

방송 언론사 기자 여러분! 존경하는 울산 시민 여러분!

더불어민주당 제22대 국회의원 선거 울산 남구을 예비후보 시민과 함께 발로 뛰는 현장 정치인 박성진입니다.

울산광역시 민선 7기 시절, 좋은 정책을 많이 추진했지만, 연임에 실패하고 국민의 힘 김두겸이 민선 8기 시장이 되면서 많은 좋은 정책이 폐기되거나 연기되었습니다. 이제 "남구에 美親, 남구를 위한 혁신" 저 박성진 캠프에 유희곤 전 민선 7기 비서실장께서 선대본부장을 맡아 주시면서 민선 7기 때의 좋은 정책을 연속성 있게 이어가고자 합니다.

폐기된 많은 좋은 정책들이 있지만, 그중의 하나가 현 농수산물도매시장과 관련된 정책입니다. 현 농수산물도매시장은 1990년 개장 이후 30년 넘게 울산 중심 상권으로의 역할을 해왔으나, 시설 노후화에 따른 잇단 화재 발생 등으로 이전이나 재개발이 불가피했습니다.

울산 남구 삼산동 농수산물도매시장이 울주군 율리로 이전하고 나면, 삼산동 부지가 남게 됩니다. 민선 7기 시절인 2022년 4월 7일, 그곳에 친환경에너지 사업의 허브이자 경제·금융·여가·문화의 중심지로서 제2 전성기를 누릴 수 있도록 60층 건물을 지어 '친환경에너지 사업 허브 겸 복합문화공간'으로 활용할 계획을 발표했습니다. 하지만 민선 8기 체제에서는 위 내용뿐만 아니라 민선 7기 시절 시행했던 사업 대부분과 정책에 대한 흔적을 없애는 형국이 지금까지도 계속되고 있습니다. 행정의 가장 중요한 부분은 연속성입니다. 전 정권에서 시행했던 좋은 사업과 정책들을 합리적 설명도 없이 지워버리는 위와 같은 행태는 시민을 우롱하는 것이며 행정 지도자의 자격이 없는 행위입니다. 이것은 빙산의 일각이며, 울산 전체에 수많은 사업과 정책이 폐기되거나 연기되었습니다. 이는 막대한 혈세 낭비를 의미합니다.

지난 2022년 지방선거 때, 현 시장은 농수산물도매시장 부지를 청년타운으로 만들겠다는 공약을 했습니다.

"울산 청년들이 타 시도에 가지 않고 울산에서 소비할 수 있도록 청년 문화쇼핑타운을 조성하겠다."

라고 선거 공약으로 내세웠는데. 취임 후 흐지부지되어 버렸습니다. 그리고 현재 이렇다 할 계획과 대책을 내놓지 못하고 있는 상황입니다. 그래서 저 박성진은 삼산동 농수산물도매시장 부지에 혁신도시 시즌2를 유치해서 제2의 남구 르네상스 시대를 열겠습니다.

제가 그리는 혁신도시 시즌2의 그림은 다음과 같습니다. 민선 7기 때 계획한 '친환경에너지 사업 허브 겸 복합문화공간'과 더불어 현 삼산동 부지를 울산의 경제·금융·여가·문화가 집약된 중심지로 만들겠습니다. 그리고 단계적으로 인근 태화강역과 도시철도 트램 노선과 연계해 상업, 문화, 주거 기능이 결합된 복합문화지구로 조성하겠습니다. 또한, 서울의 코엑스처럼 롯데백화점부터 농수산물도매시장을 지나 태화강역까지 지하복합문화공간과 문화의 허브, 교통의 허브, 상권의 허브를 만들겠습니다.

이뿐만 아니라 도심공항터미널을 태화강역에 만들겠습니다. 이는 국내외 출입을 위해 공항에서 처리하였던 업무를 대행할 수 있는 시설로 시민이보다 편리하게 이용할 수 있습니다. 또한, 터미널에서 연결된 리무진 버스나 철도로 공항까지 이동할 수 있어 교통도 편리해질 것입니다. 이를 통해 삼산동을 중심으로 울산 남구에 제2 르네상스 시대를 열겠습니다.

좋은 정책은 아무런 이유 없이 정권이 바뀌었다는 이유만으로 폐기되어서는 안 됩니다. 박성진은 폐기되거나 연기된 정책을 발전적으로 되살릴 것이며, 더 좋은 정책을 발굴하여 시민들의 삶의 질이 향상되도록 노력하겠습니다.

*국민은 늘 옳다

 윤석열 대통령은 원칙과 상식을 말한다. 원칙과 상식의 뜻을 제대로 알지 못하는 것 같다. 한 마디로 내로남불의 전형이다. 윤석열 자신이 "국민은 늘 옳다."라고 말했다. 그런데 국민 70%가 김건희 특검에 거부권을 행사하면 안 된다고 하는데도 그는 거부권을 행사했다. 이 사실은 "국민은 늘 틀렸다."를 말하는 것과 같다.

 대통령 후보 시절 그는 "특검을 왜 거부합니까? 죄를 지었으니 거부하는 겁니다. 진상을 밝히고 조사를 하면 감옥에 가기 때문에 거부하는 겁니다." 라고 말했다. 그리고는 김건희 특검을 거부했다. 윤석열의 말에 대입해 보면 "김건희는 죄를 지어 감옥에 가기 때문에 특검을 거부합니다."라는 말이 된다.

 문재인 정권 때 조사하고도 혐의점을 발견하지 못했다고 말한다. 그 말을 한번 따져보자. 조사한 주체가 누군가? 바로 검사들이다. 검사들이 제대로 조사하지 않았다는 말의 다름 아니다.

 이재명에 대해서는 300회 넘는 압수수색을 하고도 구속하지 못했다. 윤석열의 원칙과 상식은 이렇다. 자기편에 대해서는 조사를 하지 않고 상대에 대해서는 할 수 있는 최선을 다해 조사한다. 그것이 원칙과 상식인가? 과거 어느 대통령도 자신의 측근에 대해서 거부권을 행사하지 않았다. 그런데 윤석열은 자신의 권력을 사적으로 사용한다. 법은 누구에게나 공정해야 한다. 그것이 민주주의의 근간이다.

 우리나라 헌법 제1조는 "대한민국은 민주공화국이다. 모든 권력은 국민에게서 나온다."로 되어있다. 그런데 지금 현실은 "대한민국은 검찰 공화국이다. 모든 권력은 검찰에게서 나온다."로 바뀌어 있다. 언제까지 검찰 독재를 용인할 것인가? 정말 개탄스러운 일이다.

*박성진 후보의 주요지지 기반

- 울산 사람 박성진

 울산에서 태어나 초, 중, 고와 전문대학까지 울산에서 졸업하였기에 많은 동문이 있습니다. 울산 제일중학교와 울산 공업고등학교의 총동문회 부회장으로 10년 동안 봉사하고 있습니다. 민주노동당에서나 무소속으로 있을 때보다 민주당에 입당한 후 더 많은 동문의 지지를 받게 되었습니다. 이번 선거 출마를 앞두고 울산공고와 울산과학대 동문의 유일한 국회의원 선거 예비후보가 되어 후원회와 선거구 내의 지인 추천에 큰 도움을 받고 있습니다. 울산 지역에 살며 많은 인맥을 형성하고 있으며, 지역 인사와 일반 시민과 많은 교류를 하여 폭넓은 영역의 지지기반을 갖추고 있습니다.

- 택시 운전사 박성진

 택시 운전을 하며 울산 구석구석을 누볐습니다. 다양한 계층의 다양한 나이대의 손님을 태웠습니다. 손님들과 이야기를 나누며 울산 구석구석 현안에 대해 알게 되었습니다. 또한, 타는 손님마다 정치인 박성진을 소개하며 많은 홍보를 하였습니다. 그렇기에 저는 모르지만, 저를 아는 많은 시민이 있습니다. 본격적인 선거 활동이 들어가면 저가 손님으로 태운 많은 시민이 저를 알게 될 것입니다. 이는 숨은 인지도를 의미합니다.
 또한, 택시 운전을 하며 알게 된 많은 동료 택시 운전사들은 울산

전역을 움직이는 보이지 않는 저의 선거운동원이 되어줄 것입니다.

- 밀양박씨 박성진

울산은 광복군 총사령 박상진 의사의 고향이며 밀양박씨의 문중이 있습니다. 문중 소유의 빌딩 임대 사업을 통하여 장학회를 운영할 만큼 인적, 물적 자산이 많습니다. 이러한 밀양박씨 문중의 전폭적인 지지로 노동계가 주류인 울산 북구와 동구가 아닌 남구에서도 제가 민주노동당 소속으로 남구의원에 재선할 수 있었습니다. 3선에 도전할 때는 무소속이었지만 동문과 문중의 도움이 큰 힘이 되어 당선되었습니다.

밀양박씨 문중이 울산 지역에서 영향력이 높지만, 정치인이 없어 저에 대한 지원과 기대가 높은데 이번 국회의원 선거 예비후보로 등록하면서 민주당에 대한 전면적인 지원에 나서고 있습니다. 피는 물보다 진합니다. 최대한 이를 활용하여 표로 연결시키겠습니다.

- 노조위원장 박성진

㈜코오롱유화 노조위원장 박성진과 함께 연대한 석유화학 노조와 단위노조의 간부, 조합원을 비롯한 노동자들의 지지가 주요 기반 중의 하나입니다. 지금도 해고자 문제, 중소기업의 노동자 활동 등에 대하여 자문 활동을 하며 노동이 존중받는 사회를 위하여 연대 활동을 이어가고 있습니다. 이뿐만 아니라 울산은 노동자 인구가 많이 있습니다. 노동자들은 보이지 않는 끈끈한 연대가 있으며 제

가 노동자이기에 그들의 지지를 받을 수 있습니다.

- 교육활동가 박성진

울산은 대구, 대전과 함께 혁신 교육이 이루어지지 못한 광역 3단체에 해당했습니다. 혁신학교의 긍정적 사례를 교육 방송, 책을 통하여 접한 학부모들과 수도권에서 이사 온 학부모들이 자연스럽게 학교 운영위원회를 통하여 소통하며 2018년 혁신 교육을 주장하는 진보 교육감 선출에 힘을 모았고 울산형 혁신학교인 '서로 나눔' 학교의 성공을 위하여 지역사회와 함께 노력하고 있습니다. 학교 운영위원장을 8년간 연임하였고 지금도 학부모단체의 자문 역할과 일일교사, 아이들의 꿈 전도사로 활동하며 더 나은 교육을 위한 시민 활동을 통하여 교육활동가 박성진의 지지기반을 다져오고 있습니다. 교육 문제에 관심을 가지고 앞장서는 '젊은 오빠' 박성진은 오래된 저의 별명이기도 합니다.

- 스포츠맨 박성진

사회인 축구와 야구 활동을 통하여 주전 선수로 활약했으며 울산 남구의 사회인 축구, 야구회의 자문위원으로 생활체육을 통한 건강한 지역공동체의 화합을 위하여 노력해 왔습니다. 지역 내 스포츠 클럽과 동호회와도 친선 교류를 통하여 운동장에서 함께 땀 흘리고 뛰는 동료로서 적극적인 지지를 받고 있습니다. 생활 체육인들은 운동선수가 선거 운동도 선수라며 적극적인 자원봉사 활동을 동원하여 지원하고 있습니다.

- 인문학맨 박성진

울산은 공업도시이기에 상대적으로 문화가 취약합니다. 문화 커뮤니티를 통해 많은 사람과 교류하고 있습니다. 산업은 물질이지만, 문화는 정신입니다. 문화 커뮤니티를 통해 정신적인 교류를 나눈 많은 사람은 저를 지지해 줄 것입니다.

- 운동화 박성진

남구자율방범대원으로 19년째 현장 활동을 이어오며 성실함과 진실함을 인정받은 박성진은 자율방범대에서 정치권으로 파견 보낸 정치인 박성진입니다. 농수산물도매시장 남구 유치위원회 위원장으로 지역 상인들을 만나고 상가를 돌며 서명 운동을 주도해 왔습니다.

수소 산업진흥원 울산 유치 공동대표로 지역에서 서명 운동을 전개하면서 울산의 미래 먹거리 수소 산업에 대한 희망을 시민들과 함께 키워오고 있습니다.

항상 운동화를 신고 다니며 지역에서 요구되는 어떤 일도 성실하고 진실하게 최선을 다해왔습니다. 운동화 박성진에 대한 신뢰를 바탕으로 지역에서 쌓은 탄탄한 지지기반을 더 나은 미래를 위한 디딤돌로 삼아 민주당의 총선 승리에 이바지하겠습니다.

*지역 활동 내용

- 혁신 교육을 꿈꾸는 운영위원장 박성진

 한 아이를 키우기 위해서는 온 마을이 필요하다는 말이 있습니다. 교육은 학교 안에서만 이루어지는 것이 아니라, 울타리를 넘어 가정과 지역사회가 함께 참여하는 공동체 교육이 필요하다는 것을 의미합니다. 우리나라가 세계 유례없이 빠른 성장을 이룬 것도 부모님들의 높은 교육열 덕분입니다. 그렇기에 교육이 우리의 미래를 결정한다고 해도 과언이 아닐 것입니다.

 저는 지역구의 동백초등학교 운영위원장을 8년간 연임하면서 학부모들과 아이들이 행복하게 교육받을 수 있는 환경을 토론해 왔습니다. 경기도에서 시작된 혁신 교육의 소식을 듣고 학부모들과 혁신학교 견학을 다녀오고 울산의 교육 변화를 바라는 학부모 모임에도 참여하며 울산 교육의 변화를 위해 노력했습니다.

 2018년 울산 교육감 선거에서 진보 교육감이 탄생하면서 울산형 혁신학교인 '서로 나눔 학교'가 운영되고 있습니다. 울산 혁신 교육의 성공을 위하여 학부모 모임의 자문역을 맡아 지속해서 활동하며 아이들의 꿈 전도사 및 일일 교사로 현장 교육에도 참여하고 있습니다.

 우리 아이들이 함께 배움을 나누는 행복한 학교에서 정의로운 민주시민으로 성장하기를 바라며 혁신 교육의 현장에서 더 나은 교육을 바라는 울산 시민들과 함께하고 있습니다.

- 참여하는 시민의 힘을 믿는 조직 활동가 박성진

 민주주의는 참여하는 시민의 조직된 힘이 만들어 가고 지켜나간다는 것을 잘 알고 있습니다. 자율방범대 활동을 통하여 느끼는 문제점이 토론을 통하여 안전한 사회를 위한 법적, 제도적 보완점으로까지 발전하고 그 과정에서 우리는 함께 성장하였습니다. 이웃의 권유로 참여한 방법 활동이나 봉사활동을 통하여 한 사람을 지역 활동가로 키워내고 세상의 변화에 기여하는 사례를 많이 보았습니다. 저도 직장에서 가입한 노동조합 활동을 통하여 사회 문제와 부닥치고 이를 개선하기 위해 학습하고 조직화 사업을 하면서 정치인으로 성장하였습니다.
 그래서 지역 현안에 대한 주민 참여를 적극 권유하고 그 활동을 통하여 지역의 민주적 활동가를 배출하고 지원해 왔습니다.
 울산 대선공약실천단 부단장을 맡으면서 민주당과 문재인 정부의 공약이 갖는 중대성을 계층별로 찾아다니며 설명하고 민주당 당원으로 입당시켜 활동하게 했으며 울산 국립병원 유치 공동위원장, 반구대 암각화 유네스코 등재 시민모임 공동대표로도 활동하며 참여하는 시민들의 조직된 힘으로 세상을 바꾸어 가기 위해 노력하고 있습니다.

- 스스로 행복을 만들어 가는 문화시민 박성진

 자발적인 참여로 이루어 낸 촛불혁명은 어떤 바람에도 꺼지지 않고 새로운 대한민국의 미래를 밝혀주었습니다. 전 세계의 민주시민들은 대한민국의 촛불혁명을 통하여 새로운 세상을 만들어 가는 시민들의 힘을 보았습니다.

저는 내일보다 오늘, 이 순간 스스로 행복을 찾아가는 문화시민입니다. 바쁜 일정 속에서도 울산 시민합창단의 단원으로 화음을 맞추고 반구대 암각화 유네스코 등재 시민모임 공동대표로 활동하며 울산의 문화유산을 세계인에게 알리기 위해 노력하고 있습니다.

지역의 인문학 커뮤니티와도 교류하며 민주당을 알리고 그들과의 정신적인 교류를 통하여 민주당의 가치를 공유하기도 하였습니다.

민주사회에서 시위도 하나의 문화임을 역설하며 지역문제에 1인 시위를 통하여 의견을 전달하고 그 경험을 나눔으로써 1인 시위 문화를 확산하고 있습니다. 보도 자료를 통하여 공론화하지 못한 문제도 1인 시위를 통하여 지역에 공론화되고 언론이 다룰 수밖에 없는 이슈로 만들어 시민들의 의견이 반영되고 합리적인 결과를 찾아갑니다.

이를 통하여 지역의 대기업 갑질 횡포, 고공농성 노동자에 대한 지원들이 이루어졌고 민주시민의 깊은 사회적 연대 활동을 주도해오고 있습니다. 문화 활동을 통하여 시민들과 만나 민주시민 행동으로 함께 나아가고 있습니다.

- 사회를 운전하는 택시 운전사

시민들이 원하는 것을 내가 몸소 체험하고 나의 귀로 듣고, 나의 눈으로 본 경험이 있다면 그들의 삶의 애환이 담긴 실용적인 법안을 개정하고 필요한 정책을 만들 수 있을 것입니다.

저는 시민을 태우고 택시 운전을 하며 나눈 이야기에서, 많은 교훈을 얻었습니다. 그들의 삶이 어떤지 여러 방면에서 이야기를 듣고 함께 이야기를 나누며 교과서에서는 결코 배울 수 없는 살아있는 싱싱한 배움을 얻었습니다. 그런 배움은 정치 현장에서 국민의 의견을 대신할 수 있게 만들어 줄 것입니다.

저는 15개월 동안 8.8만 km 정도 택시를 운전했습니다. 혼자가 아니라 수많은 시민을 태우고 달렸습니다. 그렇기에 날것의 언어로 시민의 여론을 들을 수 있었습니다. 즐거운 손님, 삶의 무게에 짓눌린 손님 등 다양한 표정의 손님을 대하며 그들의 삶을 알게 되었습니다.

아직 우리 사회에는 국가 행정의 도움 없이 어렵게 살아가는 사람이 수없이 많습니다. 독거노인과 폐지 줍는 사람과 장애인 등 사회약자를 위한 정치를 하고 싶습니다. 바른 사회로 운전하는 운전사가 되겠습니다.

존경하는 심사위원장님과 심사위원 여러분!

　22대 총선 울산광역시 남구(을) 선거구에 예비후보로 등록한 더불어민주당의 박성진입니다. 2017년 9월 저는 더불어민주당 울산시당의 인재 영입으로 자랑스럽게 입당했습니다. 2018년 6.13 지방선거에서 울산시 남구청장 예비후보로 활동하였으며, 당내 3인 경선에서 2위로 고배를 마셨습니다. 그렇지만 당을 먼저 생각하여 울산광역시당 공동 유세단장과 송철호 시장 후보 남구(을) 선대본부장을 맡아, 송철호 울산시장의 선거 승리에 이바지했습니다. 2018년 8월 전당대회 때는 이해찬 당대표 후보의 울산 조직특보를 맡아 충실히 활동하기도 했습니다.

　저는 울산시당 부위원장과 예결산 위원장을 맡았으며, 얼마 전까지 남구(을) 지역위원장을 맡았습니다. 저는 제가 가진 정치적 신념과 그것을 표현하는 것이 중요하다고 생각합니다. 2017년 당시 저만의 정치적 길을 걷고 있을 때 더불어민주당 입당 제의는 저에게는 굉장히 영광스러운 일이었습니다. 흔쾌히 민주당의 일원이 되었으며, 보수 성향이 강한 이곳 울산 지역에서 의정 및 현장 활동을 통하여 주민들에게 인정받았습니다. 더불어민주당 일원이라는 것에 대해 스스로 강한 자부심도 가지고 있습니다.

　지난 12년간 저는 의정활동에 온 힘을 다한 기초 3선 의원이었습니다. 그중에 가장 기억에 남는 것이 촛불혁명입니다. 촛불은 어둠을 환하게 밝히는 상징입니다. 박근혜의 국정 농단은 어둠 자체였습니다. 당시 대한민국은 앞이 보이지 않을 만큼 캄캄했습니다. 국민은 대한민국의 어둠을 몰아내기 위해 너도나도 촛불을 들었습니다. 아무리 강한 바람이 불어도 국민의 가슴에서 피운 촛불은 꺼지지 않았으며, 결국 밤을 밝혔으며 아침이 오게 했습니다. 박근혜 국정농단을 국민이 심판한 것입니다.

그런데 윤석열 정부는 또다시 대한민국에 어둠을 가져왔습니다. 예전보다 더 심각한 어둠입니다. 우리는 다시 촛불을 들고 무지막지한 윤석열의 검찰 독재를 끝내야만 합니다. 그러기 위해서는 진보세력이 힘을 합쳐야 합니다. 지금 민주당을 탈당해 신당을 세운 이낙연은 윤석열을 도와주는 행동을 하고 있습니다. 입으로는 민주를 외치며 민주에 역행하는 행위를 하는 것입니다. 이에 대해서는 엄중하게 책임을 물어야 합니다.

21대 총선에서 전 국민의 힘 대표 김기현과 맞 붙어 41%가 넘는 득표에도 불구하고 낙선하였습니다. 그 후 택시 운전사가 되어 시민들 속으로 파고들었습니다. 시민들이 원하는 것을 내가 몸소 체험하고 나의 귀로 듣고, 나의 눈으로 본 경험이 있다면 그들의 삶의 애환이 담긴 실용적인 법안을 개정하고 필요한 정책을 만들 수 있을 것으로 생각했습니다.

저를 소개합니다.

저는 1968년 7월 울산시 연암동(효문동)에서 5남 중 4남으로 태어났으며 초중고 대학을 울산에서 졸업했습니다. 학창 시절에 학업 성적은 우수하지 못하였으나, 친구와 선후배 간의 신의는 물론 주어진 일에는 책임을 다하는 아이로 인정을 받아 항상 리더 역할을 하였습니다.

그 후 군에 지원 입대하여 만기 전역을 하고, 대학 졸업 후 1996년 2월 코오롱유화에 입사하였습니다. 지금의 아내와 결혼하여 2남 1녀의 자녀를 낳아 현재까지 행복한 가정을 꾸려 가고 있습니다. (주)코오롱유화에 재직 중 노동조합 위원장을 3년간 역임했으며 2003년경에 민주노동당에 입당하게 되었습니다.

정치를 하게 된 동기

노동조합 위원장으로 활동하며 제일 크게 느낀 점은 제도권 밖의 활동은 한계가 있다는 것이었습니다. 또한, 복지 사각지대에 놓인 사람을 돕고 싶다는 강한 열망이 있었습니다. 함께 잘 사라는 사회를 만들기 위해서는 제도권으로 들어가야겠다는 생각이 들어 정치를 시작했습니다.

2006년 5월 전국동시지방선거 당시, 울산 남구의 보수 세력이 가장 두터운 가 선거구(신정1,2,3,4,5동)에 민주노동당 기초의원 후보로 출마하여 3인의 선출 중 3등으로 당선이 되었습니다. 어렵게 얻은 자리인 만큼 열심히 의정활동을 하였습니다.

의정활동의 첫 시작은 5일간의 환경미화원 체험이었습니다. 우리 사회의 가장 밑바닥이며, 깨끗한 환경을 만든다는 상징적인 의미가 있다고 생각했습니다. 또한, 어려운 부분부터 직접 경험하고 그들을 이해하기 위하여 환경미화원들과 함께 새벽부터 저녁까지 활동했습니다. 그것을 시작으로 여러 가지 봉사활동에 참여하였습니다.

당연히 저는 의원으로서 책무를 게을리 하지 않았고 직접 주민들과 소통하며 그분들의 민원과 의견을 함께 나누고 들을 수 있는 자리를 만들고자 노력하였습니다.

이런 의정활동의 결과물은 다음의 선거에 구민들에게 반영이 되었습니다. 2006년 3등으로 당선되었던 저는 2010년 6월에 남구 나 선거구(신정4동, 옥동)의 기초의원 민주노동당 후보로 출마하였고 당시 2인 선출 중 당당히 1위로 당선되었습니다. 저는 그럼에도 자만하지 않고 주어진 역할 외에도 최선을 다하는 의정활동을 하였습니다. 그것이 저를 뽑아주신 주민들께 보답하는 길이라고 생각하였기 때문입니다.

그렇게 활동하며 지내던 중 2013년 저에게 혼란스러운 일이 생겼습니다. 제가 소속된 민주노동당이 노동운동 출신의 개혁 세력과 당내 개혁 세력 사이 각각의 혁신에 대한 의견 충돌이 있었고, 결국 민주노동당은 폐쇄의 길을 걸어갔습니다. 본인도 의도하지 않게 당을 떠날 수밖에 없었습니다.

그 후 저는 2014년 6월에 전국동시지방선거 남구 나 선거구(신정4동, 옥동) 기초의원 선거에 '무소속'으로 출마하여, 통합진보당의 후보와 치열한 접전 끝에 2위로 당선되었으며 울산에서 유일한 무소속 당선자로 3선 의원이 되었습니다.

저는 오직 지역민에게 한결같은 인정을 받았으며 초심을 잃지 않고 최선의 노력과 오직 지역 주민만을 위한 일에 매진하였습니다. 저는 제일 잘하는 것도 주민을 위한 일을 하는 것이고 할 줄 아는 것 또한 주민을 위한 일뿐인 사람입니다.

시민의 더 나은 삶을 만들어 드리기 위해서는 당시 친정 같은 소속 당이 필요했고 저와 정치이념이 같으며 또한 민주 진보세력의 힘이 하나가 되는 것을 실천하기 위하여 저 박성진은 더불어민주당에 입당하게 되었습니다.

더불어민주당에서 다양한 의견을 경청하고 토론하여 하나 된 힘과 소리를 낼 수 있도록!

촛불이 우리에게 내린 준엄한 명령인 적폐 청산의 사명을 이루는 날까지 저는 노력 할 것입니다.

국민을 위하여 더불어민주당을 통한 선당후사의 정신으로 최선의 길을 걸어가겠습니다. 감사합니다.

2장. 이렇게 무도한 정권은 처음이다

*윤석열이 망친 대한민국 경제

- 우리 경제와 민생은 폭망했다

경제성장률은 25년 만에 일본에 역전당할 가능성에 직면했다. OECD는 한국 1.4%, 일본 1.3% 성장률을 예상했다. IMF 외환위기 이후 24년 동안 한국 경제성장률은 늘 일본에 앞섰다. 그리고 한국은행은 2023년 성장률을 6번이나 하향 조정했다. 윤석열의 경제 정책 실패를 단적으로 보여주는 통계다.

2023년 상반기(1~6월) 누적 무역적자가 전 세계 208개국 기준 200위까지 내려앉았다. 지난해 북한을 지나쳐 180계단 내려앉은 데 이어 3계단 추가 하락한 셈이다. 무역협회가 국제통화기금(IMF) 자료를 인용한 국가별 수출입 통계에 따르면 우리나라 올해 1~6월 무역수지는 누적 264억 6,700만 달러(약 35조 9,157억 원) 적자로 집계됐다. 이는 IMF가 선정한 주요 208개국 중 200위다.

국정을 쇄신하고 경제를 살리자는 민주당의 절박한 외침을 듣지 않은 결과다. 천연자원이 부족해 수출로 먹고사는 우리나라에는 치명적인 상황이다. 수출영업사원 1호를 자칭하면서 민생을 챙기기보다 외국으로 국빈 대우를 받으며 천문학적인 돈을 쓰고 돌아다닌 결과니 더욱 참담하다. 문제는 투자받은 것보다 상대국에 투자하기로 한 금액이 훨씬 더 많다는 것이다. 한마디로 돈을 써가며 다른 나라에 퍼주기 외교를 했다고 밖에 말할 수 없다. 그런데 문제는 이것이 시작이라는 점이다.

서민과 민생 예산을 깎고 부자 감세를 시행하여 국민의 삶의 질은 절벽으로 떨어지고 있는데, 그런 것은 무시하고 수백억을 들여 해외로 다니며 퍼주기 외교를 하고 있으니 우리나라 경제는 더욱 추락할 것이 눈에 보인다.

아! 임기가 며칠이나 남았는지 계산하게 된다. 그리고 이번 총선에서 꼭 윤석열을 심판해야 한다. 경제의 회복탄력성을 잃어버리기 전에. 더 이상 우리나라 경제가 폭망하기 전에.

*눈을 뜨기가 두려운 시대

- 양치기 노인

말과 행동이 다르다는 것을 너무나 많이 보았기에 이제 윤석열의 말을 믿을 사람은 별로 없을 것이다. 윤석열의 별명을 지으라면 난 '양치기 노인'이라 짓고 싶다. 양치기 소년의 거짓말 이야기는 모두 알고 있을 것이다. 그 이야기 속 양치기 소년이 한 거짓말의 결과는 비참했다.

'양치기 노인' 윤석열은 입만 열면 민생을 이야기한다. 그가 말하는 민생은 무엇인지 도대체 모르겠다. 민생은 서민의 삶이다. 그토록 민생을 이야기했으면 삶이 좀 나아졌음을 느껴야 하는 게 상식이다. 그런데 삶이 나아졌다고 이야기하는 사람은 부자밖에 없다. 부자를 위한 정책이 민생 정책인가?

윤석열 정권이 들어서고 22년 7월 물가 상승률은 6.3%였으며, 23년 1월에는 5.2%였다. 대표적인 서민 음식인 라면의 경우 문재인 정부 5년간 9.3% 올랐는데, 윤 정부 1년 2개월 만에 10.4% 상승했다. 분유 가격은 문재인 정부 시절 0.003%에서 윤 정부 1년 남짓한 기간에 7%가 올랐다. 사과 값은 1만 원이다. 사과 하나 사 먹기 힘들다. 그것뿐만 아니라 기저귀, 사탕, 계란 등 오르지 않은 것이 없다. 이런 물가 상승 속에서 아이 낳으라고 말할 수 있는가?

우리나라 대표 산업인 수출 또한, 10개월 연속 마이너스이며, 중분류 10개 수출 품목 중 9개가 마이너스로 전환되었다. 플러스가 된 품목을 찾을래야 찾기 힘든 정도이다. 한 마디로 수출 폭망이라

할 수 있다.

우리나라의 경제를 견인하는 초거대기업의 실적도 거의 폭망 수준이다. 우리나라 대표기업인 삼성전자의 순이익은 올해 90% 감소했다. SK하이닉스는 작년 6.7조 원 흑자에서 올해 7.3조 원 마이너스로 전환되었다. 그러니 국민이 살기 어렵다고 아우성치는 것이다. 과거 보수정권은 다른 것은 몰라도 경제는 살렸는데, 윤석열 정부는 다른 것도 제대로 하는 것이 없으면서, 경제도 폭망시키고 있다.

민생을 말하며 철 지난 이념에만 몰두한 결과이며, 돈을 펑펑 쓰며 해외로 국빈 대우를 받으며 여행한 결과이다. 검사를 전진 배치하여 자기에게 반대하는 사람은 먼지털이로 탈탈 턴 것에 국력을 쏟아 부은 결과이다. 서민 생활에는 안중에도 없고 명품 가방이나 선물 받는 김건희의 결과이다. 반드시 특검해야 한다.

이런 정부에게 더 이상 우리나라 대한민국의 미래를 맡길 수 없다. 우리는 분명하게 심판해야 한다. 거짓말만 일삼는 '양치기 노인'에게 우리는 무엇을 기대할 것인가? 그를 찍은 손을 잘라버리고 싶은 사람이 많을 것이다. 4월 10일 그를 심판해야 한다. 대한민국 국민의 저력을 보여줄 때다. 더 이상 손을 자르고 싶은 사람이 없어야 한다.

- 벌거숭이 임금님

예전에 아첨하는 신하의 말만 듣던 임금님이 나중에는 벌거숭이가 되었다는 이야기를 알고 계시겠지요. 지금 윤석열 정부가 그렇습니다. 자신에게 아첨하는 사람의 말만 듣고 현실을 보지 못하여 우리

민생은 폭망했습니다

가계 실질소득이 17년 만에 최대 폭인 -3.9% 하락했습니다. 문재인 정부는 감소하던 가계 실질소득을 어렵게 증가세로 만들었습니다. 그런데 윤석열 출범 이후 4분기 연속 실질소득이 마이너스가 되었습니다. 2006년 통계작성 이후 역대 최대 폭의 감소입니다. 이 수치는 2008년 금융위기 때인 -3.2%보다 더 심각한 것입니다.

지금까지 이런 정부는 없었습니다. 부자에게 희망을, 서민에게 절망을 주는 정부입니다. 서민 지갑을 채우는 일자리 예산도 2년 연속 감소했습니다. 이것이 윤석열이 입만 열면 말하는 민생을 위한 정치입니까?

윤석열은 고집불통입니다. 아무리 이야기해도 자기를 비판하는 입은 틀어막고 자신에게 유리한 말만 듣습니다. 그러니 주변에 아부하는 사람들만 넘쳐납니다. 벌거숭이 임금님과 다를 바 없습니다.

이것은 결국 서민을 가진 것 없는 벌거숭이로 만들어 추위의 고통으로 내몰게 될 것입니다. 이번 4월 10일 선거에서 바로 잡아야 합니다.

- 트리플 부자 감세

윤석열 정부는 트리플 부자감세를 실시했습니다. 슈퍼법인과 주택부자 그리고 주식 부자에 대한 감세입니다. 그 금액이 63조 원이 넘습니다. 이것은 IMF 외환위기 때보다 더 심각한 금액입니다.

그러다 보니 R&D 예산, 민생 예산, 일자리 예산 등을 삭감할 수밖에 없는 것입니다. 서민이 살기가 점점 더 어려워진 이유입니다.

무엇보다 R&D 즉 연구개발비 투자를 하지 않으면 대한민국의 미래가 없습니다. 끝없이 추락하는 경제에 날개를 달아주어야 합니다.

- 눈을 뜨기가 두려운 시대

거리를 돌아다니다 보면 '점포세 놓음'이라는 글을 많이 보게 됩니다. 윤석열의 부자 감세 정책, 서민 증세 정책으로 인해 자영업자들이 줄줄이 폐업 상태에 놓이게 된 것을 의미합니다. 윤 정부 들어서 적자 가구가 82만 가구의 158만 명이 급등했다는 사실을 알고 있습니까? 막연하게 살기 힘들다고만 생각한 것이 통계청의 조사로 얼마나 심각한지가 분명하게 드러났습니다. 아무리 허리띠를 졸라매도 이 정부에서는 적자 인생에 허덕일 수밖에 없습니다.

회사원 또한 마찬가지입니다. 1년 동안 모두 올랐는데, 월급은 제자리입니다. 물가는 모두 올랐는데 명목소득은 마이너스로 고꾸라졌습니다. 이것은 코로나 펜데믹 절정기보다 더 심각하게 감소한 현황입니다.

아침에 눈을 뜨기가 두려운 일상이 되었습니다. 윤 정부가 이제 겨우 1년 8개월 정도 집권했는데 이 정도이니 앞으로 남은 3년 넘는 세월은 얼마나 더 민생이 악화하겠습니까? 생각만 해도 두려운 현실입니다.

그러나 이것을 만회할 기회가 있습니다. 바로 4월 10일 국회의원 선거입니다. 깽판 친 경제를 다시 되살릴 기회입니다. 이 기회를 놓친다면 우리 경제는 그야말로 회복할 수 없는 상황에 놓이게 될 것입니다. 4월 10일 윤석열 정부를 다 함께 심판해야 합니다. 그래야 우리에게 미래가 있습니다.

- 한동훈 스타벅스 망언

한동훈 국민의 힘 비대위원장이 스타벅스는 서민이 가는 곳이 아니라고 말했습니다. 이 말은 그가 세상 돌아가는 물정을 얼마나 모르고 있는지를 단적으로 보여주는 말입니다.

집권 여당의 당 대표가 그 정도의 현실 인식도 못하고 있는 것이 말이 됩니까? 국민 대다수가 아는 것을 집권, 여당의 당 대표가 모르고 있다니 참 한심합니다. 민생의 문제가 무엇인지 알아야 그 문제를 해결할 답이 나옵니다.

서민이 스타벅스에 가는지도 모르는 당 대표가 민생 문제를 어떻게 해결할 수 있겠습니까? 그러니 점점 우리의 생활이 더 어렵게 되는 것입니다.

*청년이니까 아프다.

"아프니까 청춘이다"라는 책이 있습니다. 하지만 지금은 청년이라서 아픈 시대입니다. 모든 세대가 과거 어느 때보다 힘든 삶을 살아가고 있습니다. 그중에서도 특히 청년은 폭망한 삶을 살고 있습니다. 2023년 5월 통계청에 따르면 청년 백수가 126만 명이라고 하며, 청년 일자리는 10개월째 마이너스 행진을 계속하고 있습니다. 청년 842만 명 중 126만 명이 졸업 후 미취업 상태이며 청년 고용률은 7개월 연속 하락세를 기록하고 있습니다. 청년은 어느 세대보다 중요한 세대입니다. 우리나라의 미래이기 때문입니다. 청년이 직업을 가져야 결혼하여 가정을 이루고 출산할 수 있습니다. 우리나라는 세계 1위의 저 출산 국가입니다. 요즘은 부부가 벌어도 살기 어려운 시대가 되었습니다. 그런데 취업을 못 하니 아예 결혼은 꿈도 꾸지 못하는 것이 현실입니다.

이 정부는 문제가 있으면 그 답을 찾아야 하는데, 엉뚱한 답을 제시하고 있습니다. 아니 문제에는 관심도 없습니다. 그러니 문제는 점점 더 심각해지고 있습니다. 윤석열은 청년을 국정의 동반자라고 했는데, 청년은 직업을 갖지 못해 아파하고 있습니다. 아프니까 청춘이라는 말이 있습니다. 아닙니다. 이 정부에서는 청년이라서 아픔을 겪고 있습니다.

청년이 골똘히 죽음을 고민할 때 윤석열은 어디에 있었습니까? 2022년 3분기 청년의 자살자 수는 718명이었습니다. 2023년 2분기 청년의 자살자 수는 852명이었습니다. 청년의 자살자 수가 급증하고 있습니다. 이태원 참사 때도 158명이 죽었습니다. 여성이 성

범죄로 인해 절규할 때 윤석열은 무엇을 했습니까? 윤석열이 들어서고 여성에 대한 성범죄가 9.4%나 증가했습니다. 청년과 여성을 위한 대한민국은 더 이상 존재하지 않습니다. 윤석열의 독선과 독주 역주행이 만든 결과입니다.

청년과 여성이 절망하는 대한민국 이제는 바꿔야 합니다. 4월 10일 우리 손으로 윤석열을 심판해야 합니다.

- 청년이 폭망했습니다

청년이 꿈을 이룰 수 있는 세상을 만듭시다. 아이의 웃음소리가 들려야 행복한 사회입니다.

열심히 공부했습니다. 최선을 다했습니다. 최선을 다하고 공부만 열심히 하면 취직하여 잘 살 수 있다고 믿었습니다. 그런데 아무리 공부해도 아무리 열심히 해도 취직하기도 어렵고, 취직하더라도 받는 월급이 적습니다. 고물가로 인해 살아가기가 너무 힘듭니다. 저축은 꿈도 못 꿉니다. 저축하여 언제 집을 마련하겠습니까?

그런데도 윤석열 정부는 부자들의 세금을 깎아주었습니다. 잘 사는 사람은 더욱 잘 살게 해주고 청년들은 더욱 살기 힘들게 만들었습니다. 이게 제대로 된 나라입니까?

돈이 있어야 결혼도 하고 돈이 있어야 아이도 낳고 돈이 있어야 교육도 시킬 수 있습니다.

아무리 힘들게 일해도 돈이 모이지 않습니다. 취미 생활은 하지도 못하고 강도 높은 일에 꿈을 꿀 수조차 없습니다.

이게 나라입니까? 지금 우리나라는 정상적인 나라가 아닙니다. 우리는 윤석열 정부와 국민의 힘으로부터 '불공정과 비상식 종합 선물 세트'를 받았습니다. 일일이 열거하기도 힘든 불합리한 일이 벌어지고 있습니다.

윤석열은 '이태원 특별법'에 거부권을 행사했습니다. 청년 156명이 죽고 152명이 부상을 입은 엄청난 비극에 책임지는 사람이 없습니다. 제대로 된 나라에서는 있을 수 없는 일입니다.

대통령 자리는 국민을 잘살게 만들라고 있는 자리입니다. 윤석열은 대통령의 권력을 사적으로 행사하고 있습니다. 국민을 우습게보아도 너무 우습게 보고 있습니다. 입으로는 국민은 무조건 옳다라고 이야기하면서도 국민 70%가 원하는 특검법에는 거부권을 행사했습니다. 대한민국을 거부권 공화국으로 만들어버렸습니다.

*뒤통수치면 뒤통수 맞는다

윤 대통령은 "가장 아끼던 사람에게 바보 같이 뒤통수를 맞느냐는 소리까지 들었다"라며 "사람을 너무 의심하지 않고 썼던 나의 잘못 인가 싶은 생각마저 든다"라고 말한 것으로 전해졌다.

한동훈 비대위원장에게 윤석열이 뒤통수를 맞았다는 보도가 있었 다. 여기서 주목할 것은 "~소리까지 들었다"이다. 누구에게 들었을 까? 아마 김건희가 아닐까? 이 말에서 김건희의 분노가 개입되었 음을 추정할 수 있다. 아마도 김건희와 윤석열이 이 문제에 대해 대화하던 중 김건희가 "뒤통수 맞았다. 한동훈 짤라"라는 말을 했 을 수도 있을 것이다. 김건희 말이라면 껌뻑 죽는 윤석열이 그 말 을 듣고 뒤통수 맞았다고 느꼈을 것이며, 오랜 동지인 한동훈에게 분노했을 것이다. 대한민국의 대통령이 누구인가? 우리는 지금 김 건희를 대통령으로 모시고 있다는 강한 느낌이 든다. 윤석열은 김 건희의 아바타라는 생각이 드는 지점이다.

뒤통수친 사람은 뒤통수를 맞을 수밖에 없다. 윤석열은 자신을 믿 고 검찰총장 자리를 맡긴 문재인 대통령의 뒤통수를 쳤다. 한동훈 에게 뒤통수를 맞은 윤석열의 형국과 똑같다. 윤석열과 한동훈은 옛날 전두환과 노태우처럼 한 세트다. 전두환은 노태우를 대통령으 로 만들면 자신을 보호해 줄 줄 알았다. 그런데 노태우는 집권하자 마자 전두환을 백담사로 유배시켜 버렸다. 그때 이순자는 노태우에 게 섭섭함을 이야기했다. 둘의 사이가 이 지점에서 갈라져 버렸다. 한 마디로 노태우에게 전두환이 뒤통수를 맞은 것이다.

윤석열과 김건희는 국민의힘 당대표를 제일 믿었던 한동훈에게 맡겼다. 그런데 한동훈은 "국민께서 걱정하실 부분이 있었다고 저도 생각합니다."라는 말을 했다. 그 말 한마디에 배신감을 느꼈을 것이다. 뒤통수를 맞았다고 느낀 지점이다.

"뒤통수를 친 사람은 뒤통수를 맞을 수밖에 없다."

*김건희 리스크

김건희라는 이름은 이제 대한민국을 좌지우지하는 이름이 되었다. 온 국민으로부터 조롱의 대상이 되었다. 김건희라는 이름은 치외법권의 대명사가 되어버렸다. 왜? 그의 남편이 대통령이기 때문이다. 아니 자신이 대통령이다. 국민이 뽑아주지 않은 자칭 대통령이다. 죄를 지었으면 벌을 받는 것이 법의 기본이다. 그런데 김건희는 죄를 짓고도 벌을 받지 않는 촉법소녀가 되었다. 대통령의 권력을 사적으로 이용하기 때문이다.

김건희가 명품백을 뇌물로 받는 장면을 온 국민이 보았다. 그런데 집권, 여당인 국민의 힘에서는 그것을 정치공작이라고 말하고 있다. 범죄를 저지른 사람을 피해자라 말한다. 문제의 본질은 명품백을 받은 것이다. 국민의 힘은 문제의 핵심이 무엇인지 알고도 떼를 쓴다. 그러니 틀린 답을 말할 수밖에 없는 것이다. 도대체 이것이 21세기 대한민국의 법질서인가?

김건희의 노이지 보터 수가조작 사건 특검도 윤석열은 거부했다. 총선을 겨냥해 여당을 공격하기 위한 악법이라고 말한다. 이 역시 문제의 본질을 벗어난 말이다. 문제의 핵심은 주가조작이다. 범죄이며 벌을 받아야 하는 사항이다. 악법이라면 악법도 법이다. 국민의 70%가 거부권 행사하면 안 된다고 했지만, 자기의 가족이기에 거부권을 행사했다. 참 눈물겨운 아내 사랑이다.

윤석열은 NATO 정상회의 해외순방에 동행한 김건희가 리투아니아 현지 언론에 명품쇼핑을 했다고 비판받았다. 국민 혈세로 해외순방을 가서 개인적인 명품쇼핑에 경호원과 공무원들을 대동해 다섯 군데나 명품쇼핑을 한 사실도 있다. 이것이 윤석열과 김건희가 말하는 상식이라면, 우리나라는 더 이상 상식이 없는 나라다. 서민들은 살기 힘들어 골똘히 죽음까지 생각하는 사람도 있는데, 대통령 부인이 명품쇼핑을 하는 것이, 그것도 다른 나라까지 가서 돈을 펑펑 쓰는 것이 상식인가? 양심이 있으면 그렇게 해서는 안 되는 것이다.

윤석열 대통령 처가에 특혜를 줄 목적으로 처가 소유의 땅이 있는 양평군 강상면으로 서울–양평 고속도로 종점을 변경했다. 도를 넘어도 한참 넘은 것이다. 어떻게 자신의 이익을 위해 도로까지 바꾸는가? 북한의 김정은이나 하는 짓이다. 독재국가가 아니고서는 꿈도 꾸지 못하는 일이다.

그리고 김건희의 학력, 경력 위조는 아무런 문제가 되지 않고 있다. 조국과 대비되는 지점이다. 노동계, 서민, 조국, 이재명 등 자신과 관련된 사람 이외 다른 사람에게는 법을 이용하여 탄압하면서 자신에게는 한 없이 관대한 것이 윤석열의 공정이다. 그래서 검찰독재라는 말이 생긴 것이다.

21세기 대한민국에서 이렇게 믿을 수 없는 일이 벌어지고 있다. 1970년대 군부독재 때나 벌어질 일이다. 윤석열은 시간을 과거로 돌리고 있다. 다른 경쟁국들은 목숨을 걸고 경제를 살리려 하는데, 윤석열은 민생은 외면한 채 개인의 욕심만 채우며 기회다 싶어 국빈 대우를 받으며 해외여행에 열을 올리고 있다. 해외여행만 일삼으라고 국민이 뽑아준 대통령 자리가 아니다. 이러다간 나라 망한다. 결국 고통을 당하는 것은 서민이다.

부자에겐 세금을 감면해 주고 모자라는 돈을 서민에게서 거둔다.

부자에게 세금을 감면해 주면 부자가 공장을 지어 서민에게 일자리를 준다는 말도 되지 않는 논리를 말한다. 이것은 서민을 더욱더 살기 힘들게 할 뿐만 아니라 부익부 빈익빈 양극화만 심화시키는 정책이다. 소수의 부자보다는 다수의 서민이 잘 사는 나라가 좋은 나라다.

더 나쁜 것은 이런 사실을 알고도 말 한마디 못 하는 국민의 힘이다. '김건희 리스크' 이 여섯 자를 말하면 국민의 힘 대표라도 가차 없이 목을 날릴 기세에 눌려 모두 벙어리가 되었다. 이런 것을 알고도 국민의 힘을 찍을 것인가?

윤석열의 검찰 독재, 민생 파탄, 민주 탄압을 막아야 한다. 지금 막지 못하면 우리뿐만 아니라 우리 후손이 더 고통을 받는다. 대한민국의 미래가 어두워진다. 지금 한 표가 촛불이 되어 미래를 밝혀야 한다.

*윤심이 한심합니다.

한동훈 국민의 힘 비대위원장이 스타벅스는 서민이 가는 곳이 아니라고 말했습니다. 이 말은 그가 세상 돌아가는 물정을 얼마나 모르고 있는지를 단적으로 보여주는 말입니다.

집권 여당의 당 대표가 그 정도의 현실 인식도 못하고 있는 것이 말이 됩니까? 국민 대다수가 아는 것을 집권, 여당의 당 대표가 모르고 있다니 참 한심합니다. 민생의 문제가 무엇인지 알아야 그 문제를 해결할 답이 나옵니다.

서민이 스타벅스에 가는지도 모르는 당 대표가 민생 문제를 어떻게 해결할 수 있겠습니까? 그러니 점점 우리의 생활이 더 어렵게 되는 것입니다.

이심전심이란 말이 있습니다. 현 대한민국은 "윤심한심"이 되었습니다. "윤석열 마음이 한동훈 마음이다"란 뜻입니다. 그러니 대한민국도 한심해졌습니다.

대통령도 검사, 전 현직 여당 대표도 검사, 국가를 운영하는 각 요직에 전문가 대신 검사로 채워져 검찰 독재 공화국이 되었습니다. 경제 등 민생은 외면하고 검사의 칼끝은 민주당 대표를 비롯한 국민에게 향해있습니다.

명품백을 작은 가방(파우치)이라 말하며 의미축소하고 김건희 범죄는 수사는커녕 사과조차 하지 않습니다. 칼끝이 아무리 날카로워도 검사 독재를 심판하는 국민의 손가락을 자를 수는 없습니다.

*KBS 대담을 보고

2월 7일 윤석열과 KBS와의 대담이 있었다. 작년에 이어 올해도 윤석열은 신년 기자회견을 하지 않았다. 윤석열은 KBS를 탄압하여 관제 언론으로 만들었다. 그 결과 KBS는 언론의 비판 기능을 상실했다. '김건희 명품백 수수' 문제에 대한 윤석열의 입장이 제일 관심사였다. 국민의 여론은 60% 이상이 '김건희 명품백 수수'에 대해 부정적인 시각을 가지고 있다. 이에 대해 사과해야 하고 수사를 받아야 한다고 생각하고 있다. 하지만 역시나 윤석열은 변명으로 일관했다. 최소한의 유감 표명조차 하지 않았다.

사회자의 질문도 관제 언론답게 명품백이란 용어 대신 '파우치'라는 말을 사용했다. 순간 '파우치'가 뭐지? 왜 명품백이란 말을 사용하지 않지? 라는 생각이 들었다. 정확한 내용을 모르는 일반 국민은 '파우치' 하나 받은 것이 무엇이 잘못인가? 라고, 생각하게 만드는 부분이다. 언론에서 정권에 아부하는 것이 눈에 보였다. 명품백이라는 말 한마디 못 하는 대담에서 무엇을 기대할 것인가?

윤석열은 그 질문에 대해 김건희가 정이 많아 거절하지 못한 것이 문제라고 변명했다. 오히려 정치공작의 희생양이라는 의미다. 김건희 아버지와 친분이 있는 사람이라 거절하지 못했다는 것이다. 그리고 그것을 정치공작이라고 말했다. 그렇게 떳떳하다면 수사를 받아 문제가 없음을 증명하면 되는 것이다. 검사들이 모두 윤석열 편 아닌가. 명품백을 받은 것은 김영란법에 저촉되는 불법이다. 그런 불법을 저질러놓고 친분 때문이라고 말하는 것은 상식적이지 않다. 하기야 윤석열에게 상식을 기대하는 자체가 비상식적인 것이다. 뇌물을 받는 사람은 모르는 사람에게 받지 않는다. 친분이 있어야 받는다. 김건희가 받은 것은 당연히 뇌물에 해당한다. 명품백을 받는 것이 아무런 문제가 없다고 생각했다면 김건희의 상식은 도대체 어떤 것인가?

조국의 경우 딸의 중학생 때 일기장까지 압수한 검찰은 도대체 지금 무엇을 하고 있는가? 이재명 대표에 대해 동원할 수 있는 모든 검사를 동원하여 300회가 넘는 압수수색을 자행한 검찰은 도대체 김건희에 대해서는 왜 수사조차 착수하지 않는 것인가? 김건희 일가가 있는 곳으로 양평 고속도로의 종점을 변경하거나, 불법이 명백한 도이치 모터스 사건에 대한 특검을 거부하거나, 김건희 명품백에 대해 피해자 코스프레를 하는 것이나 윤석열은 자신과 관련된 것에는 권력을 이용하여 수사조차 하지 못하게 만들고 있다. 권력의 사적사용이자 권력남용이다. 우리는 언제까지 이런 불합리를 치를 떨며 지켜보기만 해야 하는가?

법은 만인에게 공평해야 한다. 거지나 대통령이나 차별이 있어서는 안 된다. 그것이 민주주의다. 지금 이 나라는 민주주의 나라인가? 자신의 정적을 제거하는 러시아의 푸틴과 다른 점이 무엇인가? 공산주의보다 더한 용산 민주주의를 보는 것 같다. 이것을 용산 주의라고 해야 할까?

정치인은 자기 이익에 눈이 멀어 줄서기에 바쁘고 언론은 불합리에 침묵하는 나라가 21세기 대한민국이라는 사실에 처참함을 느낀다. 더욱더 처참한 것은 비상식과 불공정한 대통령이 우리나라 대통령이라는 사실이다. 기자의 질문이 무서워 신년 기자회견조차 하지 못하는 사람이 현재 우리나라 대통령이라니. 앞으로 남은 3년,

정말 끔찍하다.

*초보운전수

윤석열 대통령은 정치 초보이다. 그 때문에 국민들이 많은 불편을 겪었다. 한동훈 국민의 힘 비대위원장도 초보다 그 때문에 또한 많은 불편이 예상된다. 국민의 힘에는 초보밖에 없는가? 처음부터 운전을 잘하는 사람은 드물다. 잘하려면 익숙해질 때까지 시행착오를 겪어야 한다. 개인이면 문제가 없겠으나 나라를 운전하는 사람이 초보운전수라면 문제는 달라진다. 운수회사에서는 택시 운전사나 버스 운전사를, 운전면허증을 딴 지 며칠 되지 않는 초보를 뽑지는 않는다. 하물며 국가의 운명을 좌우하는 지도자를 초보로 뽑는다는 것은 애초에 말이 되지 않는 상황이다.

운전한다는 것은 내가 가야 할 곳은 자동차를 운전하여 가는 것을 말한다. 운전이란 것은 운전대를 잡고 가는 것만을 의미하지 않는다. 자동차에 기름이 없다면 기름을 채워야 하고, 안전벨트를 매어야 하고, 시동을 걸어야 하고 액셀러레이터를 밟아야 한다. 운전하다 보면 신호등을 만나기도 한다. 빨간 등에는 브레이크도 밟아야 한다. 깜빡이를 넣기도 하고 백미러를 보기도 해야 한다. 끼어들기를 하는 사람이 있으면 양보할 줄도 알아야 한다. 차가 막히면 기다릴 줄도 알아야 한다. 긴급 상황 시에는 대처할 수 있는 능력도 필요하다.

자기가 가는 길이 맞다고 생각하여 무작정 직진만 하게 되면 길이 막힐 수 있으며, 잘못 길을 들 수도 있다. 내비게이션이 모든 걸 해결해 주지 않는다. 내비게이션만 믿고 자신의 고집만 내세운다면 길이 막힐 수도, 둘러 갈 수도, 사고가 날 수도 있다.

운전은 돌발적인 상황이 일어나도 신속하게 대처할 수 있어야 한다. 그렇지 않으면 사고로 이어진다. 목적지까지 가야 하지만 가야 할 길의 상황이 어떤지 불확실하다. 평소에는 막히지 않는 길이 사고가 나 있을 수도 있다.

비가 오거나 눈이 오면 서행해야 한다. 그래야 사고를 막을 수 있다. 초보운전자일수록 거북이걸음을 하는 이유이다. 자신이 없으면, 아니 자신이 있더라도 규정된 속도를 지켜야 한다. 고속도로에서 난폭 운전을 하며 달리는 자동차를 보곤 한다.

운전은 주차할 때까지를 포함한다. 주차를 잘해야 운전이 완성되는 것이다. 주차할 때 사고가 많이 난다. 주차된 차를 긁게 되는 경우다.

초보운전은 직진은 잘해도 차선 변경이나 신호등을 보는 것에는 서툴다. 좌회전 우회전 등에도 서툴다. 서툴다는 것은 같은 길을 달리는 다른 차들에 불편을 준다는 것을 의미한다.

한동훈 국민의 힘 비대위원장은 정치 초보다. 그런 사람에게 국민의 힘은 운전대를 쥐어 주었다. 그는 또한 많은 시행착오를 겪어야 한다. 그 시행착오로 인해 불편을 겪는 것은 결국 국민의 몫이다.

윤석열 대통령은 많은 불합리와 불공정을 저지르고 있다. 남이 무어라 말을 해도 나의 길을 묵묵히 가겠다는 것은 예전에는 바람에 흔들리지 않는 신념이 강한 사람으로 쳐주었다. 하지만 개인 윤석열의 신념이 강한 것과 대통령으로서의 신념이 강한 것에는 차이가 있다. 만약 그 신념이 잘못된 것이라면 국민 전체가 힘들 수밖에 없다. 잘못된 것이 판명이 난 것이라면 다른 길을 찾아야 한다. 즉 변화를 주어야 한다는 말이다. 하지만 초보 운전사인 윤석열은 자신이 가고 있는 길이 잘못된 길이라는 인식조차 하지 못하고 있다. 잘못된 길이라는 인식을 해도 바꾸지 않는다. 그것이 고집이다.

초보 피아니스트가 훌륭한 연주를 하기 어렵다. 발레 초보가 멋진 주인공이 되기 어렵다. 초보 사수가 명사수가 되기까지는 시간이 걸린다. 한 분야의 장인은 장인이 되기까지 수많은 시간이 걸려 시행착오를 겪는다. 그런데 윤석열과 한동훈은 정치에 뛰어든 지 얼마 되지 않은 초보다. 그런 초보에게 우리는 운명을 맡기고 있는 것이다.

*이재명 대표의 헬기 이송에 대하여

이재명 대표가 부산 유세 중 목에 칼로 찔리는 피격을 당했다. 칼 끝이 몇 mm만 더 깊었어도 생명을 잃어버릴 수 있는 상황이었다.

이재명 민주당 대표 피습 사건의 헬기 이송과 관련하여 언론은 연일 비판으로 도배를 하고 있다. 특혜 이송이라는 것이다. 헬기 이송을 한 것은 정부의 소방기관이다. 언론은 과녁을 잘못 삼았다. 화살을 쏘려면 헬기로 이송한 정부 기관인 119구급대가 과녁이 되어야 한다. 그런데 이송의 과녁을 민주당으로 삼아 연일 공격하고 있다. 그것은 이치에 맞지 않는다.

그리고 우리나라 정당의 일당 당수는 정부에서 경호해야 할 의무가 있다. 경호의 책임을 다하지 못한 정부 기관으로 과녁을 삼는 것이 맞다.

다른 것은 차치하고라도 이것은 사람의 목숨이 달린 문제다. 그런데 사람의 목숨을 정쟁화하여 공격한다는 것은 비열한 짓이다. 헬기 이송을 특혜라고 말하는데 당시 상황은 목숨을 잃을 수도 있는 긴급한 상황이다. 나중에야 정확한 진단이 되지만, 당시로는 긴박감의 정도가 어느 정도인지 파악조차 불가능한 상황이다. 그리고 본인과 가족은 만일의 상황에 대비하지 않을 수 없다. 그런 상황은 전혀 고려하지 않고 헬기 이송이라는 것 자체만 언론에서는 부각시키고 있다. 이는 본말이 전도된 것이며, 문제의 핵심을 정확히 보지 못한 것이다.

횟집에서는 회가 주가 되어야지 반찬이 주가 되어서는 안 된다. 그런데 지금 언론은 회는 다루지 않고 반찬이 맛이 있니 없니를 따지고 있는 형국이다. 이러한 일련의 상황은 분명 보이지 않는 손이 움직이고 있다는 것을 합리적으로 의심하게 만드는 것이다. 그 보이지 않는 손은 누구의 손일까?

 오늘 의사회에서 헬기 특혜 의혹을 제기하며 비판했다. 생명이 위급한 사람을 헬기로 이송한 것이 무엇이 문제인가? 다른 것은 몰라도 최소한 생명을 정쟁의 도구로 활용하는 것은 너무 비열한 짓이다.

*"이게 대한민국이냐?" 기자회견문

 강서구청장 보궐 선거에서 17% 차이로 민주당에 패하자, 혁신 위를 출범시켰고, 그것이 유명무실화하자 김기현 대표마저 물러서게 하고 한동훈 비대위를 출범시켰습니다. 국민의 힘의 위기는 윤석열과 김건희 리스크로부터 출발하였습니다. 미술 전시회에서 메인은 그림이지 액자가 아닙니다. 그림은 그냥 두고 액자만 바꾼다고 그림이 좋아지지 않습니다. 지금 국민의 힘은 그런 형국입니다. 문제는 윤석열인데 당 대표만 바꾼다고 국민의 힘이 좋아지지 않는 것과 같습니다.

 위기의 본질은 피하고 아무리 좋은 말을 해도 국민은 믿지 않습니다. 오히려 국민은 지금 윤석열로부터 우롱당하고 있다는 사실에 울분을 토하고 있습니다. 한동훈 비대위에서는 시스템 공천을 말하면서도 자신의 측근을 공천하고 있습니다. 말과 행동이 다른 것은 윤석열이나 한동훈이나 별반 차이가 없습니다.

 그런데 또 기가 막힌 일이 벌어졌습니다. 한동훈 비대위에서 김건희 명품백에 대해 사과해야 한다는 말이 나오자마자 대통령실에서는 한동훈 비대위원장의 사퇴를 종용하고 있습니다. 정치가 무슨 아이들 장난도 아니고 자신의 아바타 한동훈 비대위원장이 명품백을 받은 사실에 대해 '국민이 걱정할 일'이란 말 한마디에 비대위원장을 갈아치우려 하는 것입니다. 사실 이것은 사과로 끝날 일이 아니라 경찰의 조사를 받아야 할 범죄입니다.

 이렇게 국가의 일을 충동적으로 즉흥적으로 자신의 기분에 따라 좌지우지하는 윤석열을 어떻게 대한민국호의 선장으로 믿고 따르겠습니까?

지난 18일 전북 자치도 출범식 행사에서 윤석열 대통령이 참석한 인사와 악수하는 과정에서 강성희 의원이 "국정 기조를 바꾸지 않으면 국민이 불행해집니다."라는 인사말을 했습니다. 그 말이 윤석열 대통령의 심기를 건드렸습니다. 옆에 있던 경호원들이 강성희 의원의 사지를 들고 행사장 밖으로 끌어내었습니다. 들려 나가던 강성희 의원이 외쳤습니다.

"이게 대한민국이냐?"고요. 예전 많이 들어본 말과 비슷하지 않습니까? 박근혜 전 대통령 국정농단 상황 때 우리 국민이 외친 "이게 나라냐"라는 말 기억하시겠죠. 대통령 앞에서 야당 국회의원이 직언하면 바로 끌고 나가는 것, 이것은 독재국가에서나 있을 법한 일입니다.

더 이상 우리는 참을 수 없습니다. 추락하는 대한민국을 다시 날아오르게 해야 합니다. 그러려면 여러분의 손을 모아야 합니다. 손을 모아 국민의 힘을 심판해야 합니다. 4월 10일 윤석열 정부를 심판하는 표를 찍어주시기를 바랍니다. 우리가 힘을 모은다면 심장박동이 멈춰버린 대한민국 심장을 다시 뛰게 만들 수 있습니다.

지금 대한민국은 정상이 아닙니다. 정상적인 나라를 만들기 위해 2024년 다시 한 번 외칩니다.

"이게 대한민국이냐?"

*김정은을 닮아가는 윤석열

김정은은 북한을 '지상낙원'이라고 말한다. 하지만 인민들은 자신의 나라를 지상낙원으로 생각할까? 그렇게 생각할 수도 있겠다. 인민들은 지상낙원을 본 적이 없고 자기 나라의 모든 언론에서 자신의 조국 조선 인민민주주의 공화국을 지상낙원이라고 매일 선전하니 그럴 법도 하다. 우리나라는 민주공화국이란 말을 한다. 정말 그럴까? 민주공화국일 때도 있었던 것은 아닐까? 지금 윤석열 정부를 민주공화국이라 말할 수 있을까?

언론의 힘은 위대하다. 펜은 칼보다 강하다는 말은 그냥 생긴 말이 아니다. 요즘 조·중·동을 비롯한 언론들은 연일 한동훈 띄우기에 올인하고 있다. 한동훈과 이재명 둘을 대상으로 차기 대통령 지지율까지 다투어 보도하고 있다. 김기현이 국민의 힘 당 대표일 때와 너무 많은 비교가 되는 부분이다. 그래서 한동훈의 지지율이 많이 올라간 상황이다. 아니 우리는 언론이 만들어 낸 신기루를 보고 있을 따름이나. 언론의 힘은 그만큼 위대하다.

김정은은 자신에게 반대하는 사람은 정치범 수용소로 보낸다. 그런 일과 비슷한 일이 우리나라에서도 일어나고 있다. 윤석열 정부 들어서고부터 이재명과 야당 인사에 대해서 수많은 검사를 동원하여 먼지 털듯이 압수수색을 하여 감옥으로 보내고 보내려 하는 것과 닮았다.

김정은은 법 위에 군림하고 있다. 자신의 측근은 호화로운 생활을 하게하고 인민은 굶주리게 만들었다. 이 또한 우리나라와 비슷하다. 자신의 부인인 김건희는 명품백을 받는 등 많은 범죄를 저질렀지만, 수사조차 하지 않는다. 그리고 자신은 돈을 펑펑 써대며 해외여행을 다니는데, 서민은 살기 어려워 자살자는 더 증가하고 있다. 자신의 가족에게만은 적용하지 않는 법이라면 김정은이 법 위에 있는 것과 무엇이 다른가.

김정은은 인민의 생명을 중요하게 생각하지 않는다. 인민은 굶어 죽는데 핵 개발에 치중하고 있다. 인민의 생명은 그에게 그리 중요한 일이 아니다. 그런 일이 우리나라에도 일어나고 있다. 이태원 참사로 154명이 죽고 152명이 부상을 입었는데도 윤석열은 책임이 없다고 말한다. 아마도 세월호로 하여 박근혜 정부가 몰락한 것이 트라우마로 작용했으리라. 그래서 특별법도 거부했으리라. 김정은의 인민의 생명에 대한 무책임과 윤석열 정부의 무책임이 닮은 부분이다.

김정은은 인민을 우습게 본다. 말로는 인민이 살기 좋은 나라를 외친다. 하지만 그의 말이 곧 법이다. 윤석열도 국민을 우습게 본다. "국민은 무조건 옳다."라고 말하고는 국민이 요구하는 특검법에 대해서는 거부권을 행사한다. 말 다르고 행동 다르다. 언행 불일치의 모습을 매일 국민은 분노에 찬 채 바라볼 수밖에 없는 현실이다. 국민을 우습게 보는 김정은과 무엇이 다른가.

김정은은 측근을 자기 마음대로 바꾼다. 윤석열도 마찬가지다. 여당 대표를 벌써 몇 번이나 바꾸었으며, 여당 중진 의원인 나경원, 안철수, 유승민, 이준석, 김기현 등도 몰아내고 자신의 아바타인 한동훈을 세웠다. 김정은의 마음대로 식 인사가 연상되지 않는가? 아니 그보다 더 심한 것 같다.

김정은보다 못한 점도 있다. 대일 외교이다. 김정은은 그래도 위안부 문제 등 역사문제에 대해서는 일본을 맹렬히 공격하는데, 윤석열은 일본에 징용공, 위안부 문제 등에 대해 국민의 동의도 없이 다 양보했다. 그것이 양보할 사항인가? 그리고 자기가 뭐라고 양보하는가? 윤석열에겐 그럴 권한도 없다. 국민에게 굴욕감을 안겨주는 대목이며, 김정은이보다 못한 대목이다.

또 하나 김정은보다 못한 점이 있다. 독립투사에 대한 역사 인식이다. 홍범도 장군은 자신뿐만 아니라 가족의 목숨까지 바치며 독립을 위해 혼신의 노력을 다했다. 그런데 공산주의자란 낙인을 찍어 씻을 수 없는 모욕을 주었다. 뉴라이트에서 주장하는 것들이 어느 순간 윤석열의 입을 통해 우리나라의 이념이 되고 있다. 극우주의와 애국은 다르다.

김정은과 비슷한 것이 또 있다. 국민의 대표 국회의원이 윤석열과 악수하며 "국정 기조를 바꾸지 않으면 국민이 불행해집니다."라는 말했다고 경호원이 사지를 들고 밖으로 끌어내었다. 김정은 나라에나 일어날 법한 일이 아닌가?

민주주의란 말은 북한에도 쓴다. 북한의 국가 명칭이 조선 인민민주주의 공화국이다. 대한민국은 민주공화국이다. 비슷한 말이지만 이제까지 우리 국민은 다르다고 생각했다. 북한은 독재주의 남한은 민주주의라고 생각한 것이다. 그런데 지금 김정은 독재나 윤석열 독재나 비슷할 지경에 이르렀다. 거기다가 검찰 공화국, 거짓말 공화국, 거부권 공화국, 굴욕외교 공화국이란 오명이란 오물은 모두 뒤집어쓰고 있다.

이렇게 따지고 보니 김정은이나 윤석열이 비슷한 점이 너무 많다. 한 가지 더 생각나는 것이 있다. 조앤 롤링의 "해리 포터"에 나오는 등장인물 중 '이름을 말해서는 안 되는 마법사'가 있다. 나쁜 마법사의 두목 격인데, 우리나라에도 말해서 안 되는 말이 있다. "김건희 리스크" 여섯 자이다. 아니 줄어들었다. "김건희 사과"가 그것이다. 한동훈 국민의힘 비대위원장의 말이 생각난다. "저가 언제 김건희 사과를 말했습니까?" 웃긴다.

*윤석열은 휘어진 길을 만들었습니다.

과거로 휘어지고 경제가 휘어지고
민주주의가 휘어지고 친일로 휘어졌습니다.

양평 고속도로가 김건희 땅으로 휘어졌습니다.
울산에 있는 도로가 김기현 땅으로 휘어졌습니다.
대한민국 언론이 보수로 휘어졌습니다.
검사의 정의가 휘어졌습니다.
그러니 선거판도 휘어졌습니다.

휘어진 것은 바른길이 아닙니다.
휘어진 대로 경제가 추락합니다.
휘어진 대로 민생이 추락합니다.
그 결과 서민의 등이 휘어졌습니다.

휘어진 길을 바르게 펴야 합니다.
그래야 대한민국이 발전할 수 있습니다.
그래야 대한민국 미래가 활짝 펴집니다.
이번 선거는 휘어진 길을 바로 펴는 선거입니다.

저 박성진이 휘어진 길을 바로 펴 드리겠습니다.
서민이 어깨 활짝 펴고 살아갈 수 있는
대한민국을 만들어 드리겠습니다.

*대통령의 민생 투어

 이제까지 민생을 외면하다가 윤석열 대통령은 선거철이 되니 전국을 다니며 공약을 내걸며 다니고 있다. 포퓰리즘의 전형을 보여주는 행보다. 친일행각, 철 지난 이념만 내세우다가 선거철이 되니 표를 얻기 위해 선거운동을 하는 것이다.

 대통령은 선거에 개입하면 안 되고 중립을 지켜야 함은 상식이다. 그런데 노골적으로 선거운동을 하고 다니는 것에 언론에서는 비판의 입을 다물고 있다. 이 또한 언론이 보수 쪽으로 편향되었음을 보여주는 것이다.

 민생 투어란 포장으로 각 지역을 돌며 그곳의 현안을 해결해 주겠다고 한다. 총선이 끝난 후에도 그 약속이 지켜질까? 현실적으로 불가능하다. 그가 말하는 공약은 천문학적인 예산이 들어간다. 부자 감세로 인해 60조 원의 세수 결손이 발생했는데, 어디서 공약에 필요한 예산을 확보할 것인가? 한 마디로 실현 불가능한 공약을 내세워 민심을 얻으려 하는 것일 뿐이다. 그런데 여기서 주목할 부분이 있다. 왜 이제껏 가만히 있다가 선거철에 민생투어를 하는가 하는 것이다. 그것은 국민의 힘이 100석 이하로 내려가면 탄핵당할까, 하는 우려와 거부권 행사가 불가능해져 김건희를 지키기 어렵기 때문이다. 김건희를 지키지 못한다면 자신 또한 무사하지 못하다는 걸 알기에 자기가 할 수 있는 최선의 역할을 하기 위해서다.

*언론의 편향성

언론에 긍정적인 내용이 많이 등장하면 그만큼 지지율이 올라가고 부정적인 내용이 많이 등장하면 지지율이 떨어지는 것은 상식이다. 현재 대부분의 언론은 한동훈을 부각시키고 국민의 힘 공천이 잡음 없이 이루어진다는 식의 보도를 한다. 반면에 민주당 공천은 사천이며, 부정적인 면만 부각시키고 있다. 한 마디로 국민의 힘에 우호적이며 민주당에는 악의적이다. 그렇게 여론을 몰고 가니 민주당의 지지율은 떨어지고 국민의 힘 지지율은 올라간다. 현상을 놓고 보면 국민의 힘은 현역 불패 공천이다. 그 이유는 김건희 특검 이탈표를 방지하기 위한 방탄 공천이기 때문이다. 현역이 떨어지지 않으니 잡음도 그만큼 적게 생기는 것이다. 국민은 인적 쇄신을 원한다. 하지만 한동훈의 공천은 그것과도 거리가 멀며 오로지 이탈표를 방지하여 윤석열과 김건희 지키기가 최우선인 공천일 뿐이다.

반면 민주당은 국민의 힘보다 의원 수가 아주 많다. 시스템 공천을 하기에 현역이 떨어지는 경우가 많이 발생한다. 그렇기에 국민의 힘보다 시끄러울 수밖에 없다. 그것을 언론에서는 이재명 사당화니 사천이니 하면서 공격한다. 이를 보아도 언론이 편향되었다고 볼 수밖에 없다.

*불평등한 법 집행

이재명의 부인 김혜경에 대해서 법인카드 불법 사용이란 명목으로 130회 넘게 압수수색을 했다. 그리고 기소한 것이 7만 8천 원 불법 사용이다. 김건희는 도이치 모터스 주가조작으로 23억이 넘는 돈을 불법으로 취득했다. 그리고 명품 가방 수수 등 많은 의혹이 제기되었음에도 검찰은 수사하지 않는다.

민주주의 정신은 평등한 사회다. 법 앞에서는 누구나 평등해야 한다. 그런데 검찰은 김건희에 대해서만큼은 평등하지 않다. 아니다. 민주당 당원에게는 가혹하리만큼, 먼지 털이 식으로 수사한다. 이것이 윤석열이 이야기하는 공정과 상식이라면, 그는 공정하지도 않고 상식적이지도 않다. 그리고 이번 선거에서는 검찰 선거라 할 만큼 적극적으로 검찰이 여론 왜곡에 앞장선다. 확정되기 전까지 피의자는 범죄자가 아니다. 그런데 재판도 받지 않은 사안에 대해 그것이 사실인 양 언론에 혐의를 흘려 마치 범죄자인 양 여론을 조성하는 것이다.

평등해야 할 선거가 기울어진 운동장에서 진행되고 있다. 한 마디로 모든 것이 민주당에 불리하게 작용한다. 그러니 대통령의 부정평가가 60%가 넘는데도 불구하고 국민의 힘이 민주당에 지지율이 앞서는 것으로 나타나는 것이다.

3장. 다윗과 골리앗의 싸움

1월 3주 여론조사
- 여론조사의 꽃
(1월 11일~1월 12일, 만 18세 이상, 전국 성인남녀 1,000명
(ARS)/ 1,010명(CATI), 표본오차 95% 신뢰 수준에 ±3.1%)

1) 윤 대통령 국정 운영평가 : 부정 62.6%, 긍정 36.6%(ARS)
2) 정당 지지율 : 민주당 51.5%, 국민의힘 34.8%(ARS)
(여론조사 꽃이 9월 20일부터 21일까지 양일간 전화 면접 조사로
강서구청장 보궐선거에 출마한 인물 중 누구에게 투표할 것인지 물
었더니 민주당 진 후보가 43.4%, 국민의힘 김태우 후보
27.4%,==>차이 16%, 예측. 실제는 17%로 비슷함. 다른 여론조사
결과에서는 민주당이 국민의 힘과 비슷하거나 국민의힘이 우세하다
는 여론조사가 대부분이었음. 하지만 여론조사꽃은 거의 정확하게
맞추었기에 조사의 신뢰도가 높음.)

- 리얼미터 여론조사
 1) 부·울·경 윤석열 국정 평가==>40:57(부정)
 2) 전국 정당 지지도 : 더불어민주당 44.5%, 국민의 힘 36.6%
 3) 부·울·경 정당 지지도 : 더불어민주당 34% : 국민의 힘 45%

- 미디어 토마토 여론조사
신당 창당 시 정당 지지율 : 민주당 44.5%, 국민의 힘 35.2%, 이

준석 신당 5.7%, 이낙연 신당 4.3%, 정의당 1.7%

- 울산 총선 주자 27명 예비후보, 50여 명 출마 예상

*울산 남구을 예비 후보에게 드리는 글

윤석열의 추락은 대한민국의 추락입니다. 더 이상 보고 있을 수만은 없습니다. 윤석열의 벼랑으로 가는 마차를 세워야 합니다. 더 이상 시간이 없습니다. 우리에겐 4월 10일이 기회입니다. 이때를 놓치면 대한민국은 망합니다.

지금 민주당 울산 남구을에는 세 명의 국회의원 예비후보가 나왔습니다. 경선 과정에서 서로 부당한 공격을 할 것이 아니라 정책대결로 경쟁할 것을 제안합니다. 우리에겐 윤석열 정부의 독주를 막겠다는 한 가지의 공통된 목표가 있습니다. 경선에서 패한 후보는 공천 받은 후보를 도와 국회의원에 당선될 수 있도록 힘을 합칠 것을 제안합니다. 그래서 국회의원에 당선된 사람은 국회에 나가 목숨을 걸고 윤석열의 독재를 심판해야 합니다. 그것이 진정 국민을 위하는 길이며, 국민의 대표로서 해야 할 일입니다.

심정지 된 대한민국에 심폐소생술을 실시하여 대한민국을 살려야 합니다. 힘을 합치면 국민의 힘에서 어떤 사람이 후보로 나와도 이길 수 있습니다. 우리뿐만 아니라 우리의 미래가 달린 일입니다. 다시 한 번 간곡히 제안합니다. 깨끗하게 경쟁하며, 패한 사람은 이긴 후보가 당선될 수 있도록 최선을 다해 도와줍시다.

그리고 김형근 후보님, 그동안 남구을을 위해 뼈를 갈아 넣는 엄청난 노력을 했음에도 컷 오프된 것에 대해 심심한 위로의 말씀을 드립니다. 김형근 후보님의 하고자 했던 구민의 더 나은 삶을 이룩하겠다는 뜻을 이어받아 그 뜻이 헛되지 않게 되도록 노력하겠습니다. 또한, 유권자들이 선거를 행복한 상상으로 가득 찬 민주주의의 축제가 될 수 있도록 최선을 다하겠습니다.

한 가지 아쉬운 점은 지속하여 남구을을 위해 노력한 김형근 후보님이 컷 오프된 이유가 갑자기 나타난 심규명 후보가 영향을 미친 결과라는 것입니다. 심규명 후보는 자신의 지역구인 남구갑을 버리고 갑자기 남구을에 출마했습니다. 이제껏 저는 지난 국회의원 선거에서 국민의 힘 김기현 후보와 맞붙었으며, 그 이후 남구을을 위해 민주당 당협위원장으로 지역을 위해 헌신했습니다. 저는 당내 선거가 과열 양상으로 번지지 않고 클린선거와 정책선거가 될 수 있기를 희망합니다.

*국민의힘 남구을 후보 김기현 공천확정 기자회견

안녕하십니까.

방송 언론사 기자 여러분! 존경하는 울산시민 여러분!

더불어민주당 제22대 국회의원 선거 울산 남구을 민주당 후보

시민과 함께 발로 뛰는 현장 정치인 박성진입니다.

박맹우 후보보다 흠결투성이인 김기현 후보님 잘 오셨습니다!

다수 국민의 힘 책임 당원 분들께서도 무능한 윤 정권이

심판받아야 한다는 데 대해 공감하고 있습니다.

당신들이 시장하고, 배지 달고 울산에서 해온 행태에 대해

국민의 힘 책임 당원 분들과 시민들께서는

이제 너 박성진이 민주당과 함께 심판해야 한다.

아니 울산과 이 정권을 함께 심판해야 한다! 라고, 말씀하십니다.

제22대 국회의원 선거에서 남구을 '국민의 힘' 후보로

김기현이 공천을 받았습니다.

김기현은 한 마디로 무능한 후보입니다.

우리나라 여당 대표 시절 그의 리더십은 최악이었습니다.

더 큰 울산을 만들겠다며 당 대표가 된 후

많은 울산시민께서는 울산 출신 당대표에게

큰 기대를 했지만, 그 기대를 저버리고

울산을 배신하고 소멸시키려 했고

한때는 김포시 출마를 저울질하며

김포시 서울 편입이라는 메가 서울을

주장하기도 했습니다.

뿐만 아니라, 대통령의 국정 운영에 대한 부정적인 여론이
60% 내외였고 국민의 힘 당 지지율도 30% 중반이었습니다.
무능한 대통령에 무능한 당 대표였습니다.
지난 강서구청장 보궐선거와 울산 남구 기초의원 보궐선거
국민의 힘의 참패를 시작으로, 일일이 나열하기도 힘든
공당 대표로서의 무능함을 일차적으로 보았습니다.
또한, 그는 윤석열 아바타로 윤석열이 시키는 것만 했으며,
윤석열의 권력 부패에 대해서는 말 한마디 하지 못했습니다.
한 마디로 윤석열과 김건희의 방패막이만 하다가
토사구팽당한 사람입니다. 각종 경제지표가 보여주듯이
윤석열 정부는 무능함 그 자체입니다.
국민은 IMF 때보다 더 살기 어렵다고 아우성칩니다.
청년들은 취업, 결혼 출산을 포기한
3포 세대라며 한탄하고 있습니다. 각종 물가는 치솟으며,
수시로 외교 참사가 일어나고 있으며,
북한으로부터 안보도 위협받고 있습니다.
한마디로 최악을 다 모은 최악의 백화점이라고밖에
말할 수 없습니다.
그런 윤석열 정부의 아바타가 바로 김기현입니다.
이재명 당 대표 부인인 김혜경 여사에 대해서는
2년 동안 수많은 검사를 동원해 탈탈 털어
6명이 식사를 하고 법인카드를 7만 6천 원
사용한 것으로 말도 되지 않는 기소를 했습니다.
반면에 윤석열 처에 대해서는 검찰은 손을 놓고 있습니다.

도이치 모터스 주가조작, 디올 백 수수,

김건희 처가의 땅이 있는 곳으로 양평 고속도로를 옮기는 등

김혜경 여사와는 비교도 할 수 없는 커다란 불법에 대해서는

수사조차 하지 않는 것이 우리나라 검찰입니다.

한마디로 대한민국은 대한검국으로 바뀌었으며,

검찰 독재국가가 되었습니다.

이뿐만이 아닙니다.

채 상병 죽음에 대한 수사에 외압을 행사하고,

수많은 청년이 사망한 이태원 참사에 대해

어떠한 책임도 지지 않고 있습니다.

지난 70년대의 반공 이데올로기가

현재 친일 이데올로기로 바뀌어 독립 영웅 홍범도 장군을

공산당으로 몰고 있으며, 일본 과거사에 대해 사과도 받지 않고

무조건 해결해 주는 등 과거 전두환 독재 때보다

더 심각한 국기문란이 일어나고 있습니다.

그런 무능한 정부에 대해 말 한마디 하지 못하고

아바타로 윤석열이 시키는 것만 하다가

토사구팽당한 사람이, 자신의 영달을 위해

다시 국회의원에 나온 것입니다.

염치가 없어도 이런 몰염치는 없습니다.

그는 남구을의 발전을 위해 출마했다고 말하지만,

그 말은 명백히 거짓말입니다.

이제껏 우리는 김기현의 거짓말에 속았습니다.

심지어 열린 국회, 열리라 국회, 매니페스토의 자료를 바탕으로

상임위원회 출석률, 국정 출석률, 법안 발의,
법안 처리, 공약 이행률 등과 사용자의 의원 평가 점수를
합산 반영 적용한 국회의원 평가 순위에서는
300명 중에 당당히 272등을 했습니다.
여당 대표로서 지역 국회의원으로서 무능함이 드러난 후보가
울산 남구을 국회의원이 된다면 무능한 국회의원으로 하여
울산 남구을은 더욱 침체될 수밖에 없습니다.
경제, 문화, 산업, 복지 등 모든 분야에서
추락하게 될 것입니다.
이는 근거가 전혀 없는 이야기가 아닙니다.
김기현은 남구에서만 4선을 했으며, 울산 시장도 했습니다.
그가 국회의원과 시장 재임할 때를 합하면 20년이 됩니다.
이 20년 동안 그가 울산 남구를 위해
무엇을 했는지 묻지 않을 수 없습니다.
우리나라 인구가 2003년 4천 8백만에서 20년이 지난
2023년 5천1백6십만 명으로 7.5% 증가했는데도 불구하고,
울산 남구 인구는 2003년 34만 7천 명에서
2023년 30만 6천 명으로 12%가 줄어들었습니다.
인구가 줄어든다는 것은
그만큼 살기 어렵다는 것을 방증하는 결과입니다.
남구에서 살기 어려워 다른 지역으로 옮겨가는
인구가 많아졌다는 것을 방증합니다.
여당 대표에서 쫓겨나 남구을의 국회의원 후보로 나온다는 것은
남구을 주민을 우롱하고, 무시하는 행위입니다.

추락하는 경제의 선을 다시 오르막길로 바꾸어
V자 곡선으로 상승하게 만들어야 합니다.
그것이 바로 민주당 저 박성진을 국회의원으로 뽑는 일입니다.
제가 승리의 V자 곡선으로 만들겠습니다.
남구을을 혁신시키겠습니다.
 윤석열의 아바타로 토사구팽당하여 울산으로 내려와
국회의원을 하겠다는 부패 정권의 아바타, 몰염치하고
무능한 김기현을 심판해야 합니다.
그것이 윤석열을 심판하는 일이며,
울산 남구을이 다시 도약할 기회가 되어줄 것입니다.

존경하고 사랑하는 시민 여러분!

이제는 더 늦기 전에 "세대교체 시대교체"를 꼭 해야 합니다!
나이가 젊다고 젊음을 어필하는 게 아닙니다.
생각이 젊습니다. 마음이 젊습니다.
더불어민주당 5개 구군 후보 평균 나이가 48세입니다,
평균 연령 60세 이상인 개인의 영달만을 위해 국회의원이
되려는 사람들에게 더 이상 울산을 맡길 수 없습니다.
언제까지 구태의연한 국민의 힘이 공천만 받으면
당선되는 우리 울산 아니, 남구(을)을 만드실 겁니까?
언제까지 국민의 힘에 속으실 겁니까?
속을 바엔 차라리 젊고 패기 넘치는 더불어민주당 후보
저 박성진에게 한 번 속아보시기를 바랍니다.

저 박성진 지금부터

김기현이 사람의 실체에 대해 낱낱이 밝혀서

시민들께서 이 정권과 함께

심판해 주실 것에 대해 사력을 다할 것입니다.

30년 썩은 고인 물을 시민 여러분들과 함께 퍼내겠습니다!

마지막으로 김기현 당신께 묻습니다.

당신이 생각하는 선당후사는 도대체 무엇입니까?

당의 요구에 따라 대부분의 중진은 험지 출마를 수용했는데

당신은 어떤 이유에서 끝까지 남구을을 고집하고

남구을에 남을 수 있었습니까?

진정 우리 남구을을 위해서입니까?

아니면, 배지 한 번 더 달려고 하는 수작입니까?

*민주당 경선 후, 후보로 선출 기자회견문

 존경하는 울산시민 여러분, 그리고 아낌없는 지지를 보내주신 더불어민주당 당원동지 여러분, 감사합니다. 더불어민주당 제22대 민주당 울산 남구을 국회의원 후보로 선출된 박성진입니다. 먼저 저 박성진을 울산 남구을 민주당 국회의원 후보로 선출해 주신 데 대해 고개 숙여 감사드립니다. 그동안 선의의 경쟁자로 함께한 심규명 후보님과 김형근 후보님께도 고생하셨다는 말씀을 드립니다. 저 박성진은 오는 4월 10일 치러지는 국회의원 선거에서 울산시민 여러분의 아낌없는 지지와 성원에 압도적 승리로 보답하겠습니다.

 존경하는 울산시민 여러분, 정치는 국회의원이나 특정인을 위한 것이 아닙니다. 짧게는 시민 여러분 현재의 살림살이와 길게는 우리 아이들의 미래를 바꿔 놓을 수 있습니다.

 윤석열 정부가 들어서고 대한민국은 완전히 폭망했습니다. 수출과 내수 등 경제와 산업이 폭망했습니다. 세계 자살률 1위, 저 출생률 1위 노인빈곤율 1위입니다. 시민은 빚더미에 짓눌려 아침에 눈을 뜨기가 두려울 지경이라 말합니다. 그런데 대통령은 자신의 이익만 챙기며, 민생은 뒷전입니다. 입으로는 공정과 상식을 이야기하지만, 실제로는 김건희의 불법에는 눈을 감은 채 수많은 검사를 동원해 정적 죽이기에만 혈안이 되어있습니다. 그러니 나라가 폭망할 수밖에 없습니다.

 어떻게 이룬 대한민국입니까? 독립투사의 피와 우리 부모님의 땀과 민주투사가 목숨을 바쳐 이룩한 대한민국입니다. 그 결과 세계에서 유례를 찾아볼 수 없이 빠르게 선진국이 되었습니다. 그런데 윤석열이 들어서고 2년도 안 되어 끝을 모르게 추락하고 있습니다. 수많은 세월 공들여서 쌓은 탑을 윤석열이 고집과 독단으로 무너뜨리고 있습니다. 절벽으로 떨어지는 대한민국에 날개를 달아주어야 합니다. 그 방법이 바로 투표로 윤석열의 무능과 독재를 끝장내는 것입니다.

사랑하는 시민 여러분, 정치가 썩었다고 다 똑같은 인간들이라고 매일 진흙탕에서 싸움질이나 한다고 욕하고 외면만 해서는 아무것도 달라지지 않습니다. 그들이 왜 싸우는지 들여다보고 그 진흙탕 속에서 무엇이 진정으로 여러분의 권리를 지켜내는 것인지, 무엇이 우리 아이들의 장래를 위한 것인지 함께 고민하고 또 고민해 주셔야 합니다.

시민 여러분 다시 한 번 간곡히 호소합니다. 정치인은 미워하더라도 정치를 외면해서는 안 됩니다. 정치에 관심을 가져야 우리에겐 희망찬 내일이 있습니다.

우리는 지금 밝은 미래로 갈 섯인지, 과거 후진국으로 돌아갈 것인지를 결정하는 분기점에 섰습니다. 여러분의 손가락에 울산의 미래가 달렸습니다. 이번 선거가 30년 보수 세력을 끝장낼 수 있는 울산 남구을에 온 큰 기회라 생각합니다. 그동안 붉은 깃발만 꽂으면 국회의원으로 밀어주었지만, 보수 국회의원은 진정 울산을 위해 무엇을 했습니까? 시민 여러분, 이제 정말 진심으로 울산을 생각하고 발전시킬 국회의원이 필요합니다.

시민 여러분의 힘을 의지해 다시 도약하는 울산을 만들기 위해 저 박성진이 나섰습니다!

눈부신 변화와 발전을 거듭하는 울산을 만들기 위해 저 박성진이 나섰습니다!

승리에 대한 확신이 저 박성진에게 있습니다!

우리에게는 일하는 국회의원, 울산발전을 위해 최상의 능력을 발휘할 유능하고 진실한 국회의원이 필요합니다. 저 박성진, 실현 가능한 공약을 통해 울산을 새로운 비전으로 도약시키겠습니다.

누구보다 민생을 잘 아는 저 박성진이 행동으로 보여드리겠습니다. 국민의 뜻을 무시하는 정권은 잠시 승리할지 모르지만 길게 갈 수 없습니다. 시민께서 변화의 시작을 열어 주셨듯 시민께서 투표로 마무리해 주십시오!

시민 여러분이 새로운 시대를 열어 주십시오!

오래전 노무현 대통령님은 '깨어있는 시민들의 조직된 힘'을 말씀하셨습니다.

그 힘을 발휘하여 울산을 저 박성진과 함께 바꾸어 나갑시다.

저 박성진의 승리가 우리 모두의 승리가 되게 만들겠습니다!

고맙습니다.

2024년 2월 22일

더불어민주당 울산 남구을 제22대 국회의원 후보 박 성 진

*세대교체, 시대교체

이제는 세대교체 시대교체가 이루어져야 합니다. 낡은 생각, 구태의연한 생각만으로는 나날이 변화하는 현실에 효과적으로 대응하기 힘듭니다.

더불어민주당 울산 5개 구군 후보의 평균 나이는 48세입니다. 반면에 국민의 힘 후보의 평균 나이는 60세가 넘습니다. 나이가 많은 것이 나쁜 것이라 말하는 것이 아닙니다. 최소한 정치에서만큼은 젊은 정치인이 필요하다는 말입니다. 정치는 무엇보다 변화에 민감하게 대응할 수 있는 것이 중요합니다.

현시대는 하루가 다르게 급속하게 변화합니다. 변화에 신속하게 대응하지 못한다면 그 피해는 오롯이 국민의 몫으로 돌아갑니다. 더불어민주당 후보는 생각이 젊습니다. 더불어민주당 후보는 마음이 젊습니다. 그렇기에 급변하는 상황에 맞추어 빠르게 대응할 수 있습니다.

구태의연하고 변화에 대응하지 못하고 옛것이 좋다고 고집만 해서는 더 이상 발전을 기대하기 어렵습니다. 제 4차 산업 혁명은 IT 혁명 시대입니다. 그에 걸맞게 대응하려면 젊고, 참신하며 창의적인 순발력이 필요합니다.

이제까지 울산은 일부만 제외하고 국민의 힘 국회의원과 국민의 힘 지방 자치 단체장이 울산을 이끌었습니다. 그런데 지금 현재 울산의 수준에 시민 여러분은 만족하십니까? 인구는 줄어들고 청년은 취업하지 못하고 출산율은 최저 수준을 밑돌고 있습니다. 자영업하는 사람은 힘들다고 죽겠다고 아우성치며, 시장 상인은 장사가 안

된다고 한숨을 쉬며 눈물만 흘리고 있습니다.

경제는 내리막길이며 물가는 하루가 다르게 치솟지만, 실질 소득은 감소하고 있습니다.

문화예술인에게 지급되던 예산이 대폭 삭감되어 예술인들은 막노동 전선으로 내몰리고 있습니다.

사회적 기업에 지원되던 예산이 대폭 삭감이 되고, 일자리 창출을 위한 예산도 대폭 삭감되었으며,

미래 울산을 이끌어 갈 R&D 예산마저 삭감되어 미래까지 불투명해졌습니다.

또한 부자는 더욱 잘살게 되었고 가난한 사람은 더욱 가난해졌습니다.

이렇게 시민을 위해 쓰여야 할 예산을 삭감하여 당장 필요하지도 급하지도 않은 태화강 오페라 하우스를 3,600억을 들여 지으려 하고 있습니다. 서민이 얼마나 힘들게 살고 있는지 모르기 때문에 이런 어처구니없는 일을 환경까지 훼손해 가면서까지 시행하려 하는 것입니다. 오페라 하우스는 일부 특권층만이 누릴 수 있습니다. 당장 먹고살기 어려운 서민이 누릴 수 있는 것이 아닙니다.

이만 보더라도 울산의 정책이 부자를 위한 정책이며, 서민은 안중에도 없다는 것을 보여주고 있습니다.

국민의 힘의 정책은 모두 이런 식입니다. 서민은 안중에도 없으니, 서민의 삶은 더욱 팍팍해지는 것입니다.

국민의 힘 모 후보는 땅 투기로 부를 축적했기에 이러한 서민의 고통을 모릅니다. 정치인은 청렴해야 하지만 자신의 영달만을 위해

서민의 고통을 외면하고 있습니다.

그런 거짓말쟁이에게 울산을 맡겼기에 울산은 이렇게 추락하게 된 것입니다. 한 마디로 울산은 날이 갈수록 더욱더 살기 어려운 지역이 되고 있습니다.

수십 년을 국민의 힘에 울산을 맡긴 결과가 이렇게 참담합니다. 변화에 민감하게 대응도 하지 못하는 늙은 정치가 빚어낸 결과입니다.

우리 가족과 후손을 위해서라도 더 이상은 변화에 대응하지 못하고 낡고 늙은 정치를 하는 사람들에게 울산을 맡겨서는 안 됩니다.

현대는 급변하는 시대입니다. 정보화의 시대입니다. 울산시민을 더욱 잘 살게 하기 위해서 정보를 입수하고 연구하여 그에 걸맞는 정책을 개발해야 합니다.

변화에 민첩하게 대응해야 그에 맞는 정책을 시행할 수 있습니다. 그러기 위해서는 참신하고 도전적이며 열정에 가득 찬 젊은 인재가 필요합니다.

이세 행복 수노 울산으로 만들어야 합니다. 울산에 새로운 르네상스를 만들기 위해서는 젊은 생각, 변화에 신속하게 대응할 수 있는 젊은 정치인이 울산을 이끌어야 합니다. 더불어민주당은 젊습니다. 그 젊음을 울산을 위해 불태울 수 있게 기회를 주십시오. 더불어민주당 후보를 국회의원으로 뽑아주신다면 울산을 위해 뼈를 갈아 넣어 일하겠습니다.

울산을 더욱 살기 좋은 도시로 만들 것을 약속드립니다.

*울산 남구 제2의 혁신도시 유치 - 남구을 르네상스

 저 박성진은 폭망한 울산 남구을을 되살리기 위해 제2의 혁신도시를 유치하여 남구을을 울산의 경제 르네상스의 구심점으로 만들겠습니다. 남구을 중심에 위치한 농수산물도매시장은 남구 경제의 구심점 역할을 했습니다. 그런데 울주군 율리로 이전하는 것이 확정되었습니다. 남구을로서는 중요한 경제 자산을 잃게 되는 것입니다. 하지만 저 박성진은 위기를 기회로 바꾸겠습니다. 태화강역을 중심으로 제2의 혁신도시를 만들겠습니다. 이전하는 농수산물 도매시장 부지에 60층 건물을 지어 친환경 에너지 사업의 허브이자 경제, 금융, 여가, 문화의 중심지로 만들겠습니다. 그리고 서울의 코엑스와 유사한 형태로, 롯데백화점에서 농수산물도매시장을 거쳐 태화강역까지 지하 복합 문화, 상업 공간을 조성하겠습니다.

 현재 KTX가 언양에 있어 울산시민이 많은 불편을 겪고 있습니다. 저 박성진은 2026년까지 지금 계획되어 있는 태화강역에 KTX가 다닐 수 있게 하는 사업을 차질 없도록 추진하겠습니다. 그것을 신설 예정인 도시철도 트램 노선과 연계한다면 태화강역은 울산의 핵심적인 중심으로 거듭날 것입니다. 또한 태화강역을 중심으로 장생포 고래 마을에서 울산대교를 지나 울산항을 거쳐 태화강 국가 정원까지 가는 유람선을 띄우겠습니다. 태화강 하류에는 현대자동차와 대형 조선소 및 울산항, 울산공단 경관을 한눈에 볼 수 있어 산업도시 울산만의 자랑이 될 것입니다. 용연, 부곡동 등 남구을에 위치한 석유화학 공단 야경은 유리성처럼 아름답습니다. 태화강 유람선과 연계하여 울산의 대표적인 관광콘텐츠로 만들 것입니다. 그러면 삼산지구는 경제, 관광, 상업, 문화, 여가, 주거가 결합된 복합적인 혁신 지구가 될 것입니다.

코로나19가 안정되면서 해외여행 및 국내 여행 인구 급증하고 있습니다. 가덕도 신공항이 생기는 시점에 맞추어 태화강역에 울산공항 터미널을 유치하겠습니다. 현재 시스템에서는 여행객이 직접 캐리어를 들고 다니는 불편을 겪고 있습니다. 새로 생길 공항 터미널에서는 가덕도 공항과 인천공항까지 여행객이 불편하게 케리어를 들고 가지 않아도 될 수 있게, 공항 터미널에서 캐리어는 목적 공항까지 별도로 이송이 되고 여행객은 몸만 가면 되는 편리한 시스템을 만들겠습니다. 또한 현지 공항에서 했던 업무들을 울산공항 터미널에서 대행해서 여행객이 편리하게 이용하도록 하겠습니다.

그에 더해 놀 거리, 볼거리, 먹을거리를 조화롭게 배치한다면 많은 일자리가 생기는 것은 물론 경제가 활성화될 것입니다. 제2의 혁신 도시를 유치하여 울산 남구을을 중심으로 울산이 한 단계 더 업그레이드된 경제 혁신을 이루어 내겠습니다.

*김기현이 되면 울산이 망한다.

1. 김기현 땅기현, 국회의원 재산 15위

 김기현은 현재 우리나라 국회의원 중에 재산이 15번째로 많다. 김기현이 사둔 땅으로 도로 노선이 바뀌었다는 '울산 KTX 역세권 투기 의혹'을 받고 있다. 의혹의 핵심은 그가 사 둔 땅 3만 5천 평이 엄청나게 올랐다는 것이다. 국회의원과 시장을 바꿔 먹기 할 정도로 가까웠던 박맹우와 김기현 사이에 모종의 개발 정보를 공유하지 않았을까 하는 합리적인 의심을 하게 되는 부분이다.

 김기현은 1998년에 임야와 목장 용지를 합쳐 11만 5천여 제곱미터, 35,000평을 구입했다. 그런데 울산광역시가 이 일대에 KTX 울산역과 연계되는 도로 개설 사업을 검토하면서 이 땅값이 기존 땅값의 1,800배에 육박하는 640억까지 뛰는 바람에 투기 의혹이 불거졌다. 1,800배의 추정 근거는 매입 당시 개별공시지가가 ㎡당 평균 332원, 평당 1,097원이었는데 2021년 2월에 주변에서 인접한 A 토지가 평당 200만 원 정도에 거래된 것이다. [위키백과]

2. PUM 의원 평가 272위

 의원 순위는 열린 국회, 열리라 국회, 매니페스토의 자료를 바탕으로 상임위원회 출석률, 국정 출석률, 법안 발의, 법안 처리, 공약 이행률 등과 사용자의 의원 평가 점수를 합산 반영 적용하는 의원 평가에서 2024년 2월 기준 272위입니다. 한 마디로 의원 자격이 없는 하위 10%에 든 김기현은 국민의 힘이라는 묻지 마 투표에 의해 당선되었습니다. 울산 남구을의 수치입니다.

3. 거짓말쟁이 김기현

2023년 1월 27일 김기현은 자신의 페이스북과 인스타그램에 "당대표 선거에 나선 저를 응원하겠다며 귀한 시간을 내주고 꽃다발까지 준비해 준 김연경 선수와 남진 선생님께 진심으로 감사의 말씀을 드린다"라는 글과 함께 꽃다발을 들고 두 사람과 찍은 사진을 올렸다. 이로 인해 김연경이 악플에 시달리는 등 곤란한 일을 겪자, 김기현과 남진이 제각기 입장을 밝혔는데, 양측의 엇갈리는 이야기가 나오면서 논란이 됐다.

남진의 주장을 정리하자면 김기현이 언급한 모든 내용이 거짓인 셈이다. 어제는 '오랜만에 반가운' 얼굴들과 함께 저녁을 보냈다고 했으나 두 사람은 해당 자리에서 김기현을 처음 봤으며 함께 있던 시간은 정작 2~3분 남짓이었다고 한다. 김기현은 두 사람이 자신의 당 대표 선거를 응원했다고 했지만 두 사람 모두 김기현을 알지도 못한다고 반박했다. 김기현은 두 사람이 자신을 응원하기 위해 귀한 시간을 내줬다고 했지만 두 사람 모두 김기현을 만날 약속 자체를 하지 않았으며 단순히 팬인 줄 알고 인사하고 사진을 찍은 것이다. 김기현은 두 사람이 꽃다발을 준비했다고 했지만 두 사람 모두 그런 사실이 없고 김기현 측에서 준비한 것이라고 반박했다.

4. 김기현 토건 비리 의혹

황교안이 특별기자회견에서 밝히기를 '교회지인' 김정곤은 김기현이 울산시장으로 재직하던 2017년에 조합장 김정곤이 이례적으로 단기간에 도시개발 사업 인가를 받아냈다고 하며 이를 근거로 김기현이 김정곤에게 도움을 받은 보상으로 재개발 사업을 특별히 단기간에 승인해 주는 특혜를 준 것 아니냐는 권력형 토건 비리 의혹을 제기하였다.

5. 전광훈 찬양 발언

2023년 4월 13일, 홍준표 대구시장이 하루 전, 1,000회 기념 MBC 100분 토론에서 전 보건복지부 장관 유시민과 함께 출연한 자리에 현 국민의 힘의 문제점을 토론하며 이전부터 언급해 온 전광훈 목사에 의해 당이 휘둘리고 있는 상황은 바람직하지 않다는 비판을 한 적이 있었다. 그러자 김기현 당 대표는 당일 13일에 기자회견을 열며 "특정 목회자가 당에 영향력을 끼친다는 근거 없는 헛소리가 말이 될 일인가"라는 식으로 홍준표를 비판한 후, 말을 함부로 한다는 이유로 괘씸죄를 들먹여 당 대표 독단적으로 상임고문에서 강제로 해촉을 시켜 논란을 빚고 있다.

가뜩이나 전광훈에 의해 윤석열 정부와 국민의힘 지지율이 계속 급락하고 있는 상황에도 끝까지 전광훈을 비호하며 이를 비판한 이들의 말에 귀 기울이기는커녕 망설이지 않고 숙청해서 무조건 배척하겠다는 의지를 표명하여 논란을 빚고 있는 만큼 당 내외는 물론 여론에서도 기어이 자유한국당과 같은 흑역사 시절의 보수정당으로 돌아간다며 이런 김기현의 행보를 매우 강하게 비판하고 있다. 홍준표는 페이스북을 통해 김기현 당 대표를 향해 상당한 허탈함과 분노를 담아 비판하면서 "그렇게 전광훈 목사를 끼고돌아 운영하고 싶으면 전광훈을 그냥 당 상임고문으로 삼으라."며 김기현 대표를 향해 말했다.

*MBC TV 토론 (박성진, 김기현)

선거 TV 토론은 기조가 비슷하다. '어떻게 공격할 것인지, 어떻게 자신을 PR할 것인지, 어떻게 공격할 것인지' 하는 것이다. 임박해서 준비하기보다는 미리 준비해야 한다. 아웃라인이 필요하다. 토론회 준비를 하면 선거를 어떻게 치르겠다는 것이 자연스럽게 정리된다.

'어떤 포인트로', '어느 시점에' 라는 구도를 잡고 시작해야 한다. 이제 한 달이 남았다. 윤 정권 심판이라는 구도는 바뀌지 않는다. 문제는 남구을 발전을 위해 아무것도 하지 않는 김기현 후보를 어떻게 돌파할 것인가 하는 것이다.

내년이면 울산 인구 25%가 65세 이상으로 진입하는 초고령 사회가 되는데 우리나라 광역시 중에 제일 빠르다. 원인은 저 출산과 대학교에 진학하면서 다른 지역으로 인구가 빠지는 것이 원인이며, 청년의 일자리가 부족한 것도 한 원인이다. 남은 사람은 서울에 일자리나 주거지를 찾지 못한 사람일 것이다. 서울이 커지면 일자리를 찾아 울산을 떠난다. 김기현 당 대표 시절 메가 서울을 주장했다. 서울이 커지면 상대적으로 울산은 축소될 수밖에 없는데 그러한 행위는 울산 인구가 빠지는 원인이며, 울산의 발전을 저해하는 것이다. 그것이 울산 시민을 분노하게 만든다. 김포를 서울에 편입시키자고 한 것은 메가 서울의 출발점이다.

토론 시 이와 같은 질의를 하면 이제는 서울 이야기를 안 할 것이다. 그리고 광주, 부·울·경 메가시티를 지원하겠다는 발표를 했다고 답할 것이다. 그러면 저번 문재인 정권 시절 부·울·경 연합체를 구축했는데, 이번 부·울·경 국민의힘 단체장들이 그 연합을 깨었다는 것과, 그러는 동안 김기현은 국회의원으로서 방관만 한 것을 공격해야 한다. 부·울·경 연합이 무산되게 만들어 놓고 이제 다시 부·울·경 메가시티를 이야기하는 것은 이율배반적이며 진정성이 없다. 김기현은 울산에서 4선과 울산시장을 하고 여당 당 대표를 하며 수도권으로 활동무대를 옮겼다. 서울 메가시티를 주장하며 지방을 죽이는데 앞장선 사람이 울산 부·울·경 구축과 발전을 말하는 것은 어불성설이다.

 김건희 특별법 부결되었는데, 우리 당에서 다시 특검법을 재상정하려고 준비 중이다. 그때도 반대할 것인가? 70%의 국민이 김건희 특검법 거부권에 대해 반대했다. 그런데 여당은 거부권 찬성을 밀어붙였다. 국민의힘에서 특검법 거부권에 대해 반대를 한 이유는 선거에 임박해 민주당이 공격용으로 만든 악법이라는 것이다. 그렇다면 총선이 지난 후에 특검법을 상정하면 반대할 논리가 무엇이냐? 이런 부분을 현수막에 간결하고 강한 내용으로 적어 시민들에게 홍보해야 한다.

 우리 당은 재생에너지를 강조한다. 울산광역시에는 많은 회사가 있지만, 이제는 기존에 있는 회사를 유지하기도 어렵다. 인구가 계속 줄고 있으며, 일자리도 줄고 있는 것이 현실이다. 재생에너지 확보가 시급하다. 세계 각국에서는 RE100을 이야기하고 있다. 그것이 안 되면 울산지역에서 생산한 상품을 판매하기가 어렵다. 그런데 국민의 힘에서는 재생에너지 사업을 반대하며 원전으로 하면 된다는 주장을 하고 있다. 하지만 RE100에 원전은 포함되지 않는다. 원전은 RE100과 상관이 없다. 하지만 고준위 방폐장을 설치한 국가는 인정한다. 하지만 이것은 제도적인 문제일 뿐 현실적으로 RE100과는 상관없는 일이다. 아산로를 지나가다 현대 자동차 수출 부두를 보면 주차장에 천장을 만들어 두었다. 그런 방식으로 대응하는 것은 한계가 있다. 큰 공장 전부를 덮을 수 없을뿐더러 온산 공단의 화학 공장은 어떻게 할 것인가? 최근에 윤석열과 한동훈은 RE100이 뭐 그리 중요하냐고 말한다. 심각성을 인지하지 못하고 있다는 증거다.

재생에너지의 대표적인 사업이 부유식 해상풍력인데 송철호 시장 때 진행하던 사업을 국민의 힘 김두겸 시장은 퇴보시켰고 현재 전남에서 추진 중이다. 울산에서 하기로 한 업체들과 사람들은 모두 그곳으로 갔다. 울산으로 다시 끌고 오려고 하면 쉽지 않으며 대대적 지원이 필요하다.

부유식 해상풍력 사업은 에너지 차원을 넘어 울산에 일자리를 창출한다는 효과도 크다. 일자리가 있어야 울산 인구가 줄지 않는다. 인구가 유지되어야 부동산 가격이 유지가 된다. 어떻게 할 것인가? 역설적으로 집값 내려가는데 좋아할 사람이 있을까? 국민의 힘을 지지하는 노년층은 심각하게 받아들일 것이다. 집값 하락을 막아주겠다는 사람을 지지할 수도 있다. 집값이 유지되려면 젊은 세대가 있어야 된다. 그런 데 있는 일자리도 RE100 때문에 위험한 상황이니 근본적인 대책이 필요한 것이다.

이런 것들을, 공격 포인트를 잡으면 국민의 힘은 해상풍력 사업을 무력화했기에 절대 반박할 수 없을 것이다. 공격하면서 공약도 된다.

김기현 로드(삼동 역세권 연결도로)는 KTX에서 삼동을 연결하는 도로로 국토부에서 예타가 통과되지 않았다. 처음 김기현이 울산시장이 되고 이 사업을 시작할 때 100% 국비로 하겠다고 했다. 그런데 노선이 김기현 시장의 땅을 지나가게 구부러져 있다.

KDI에서 빨간 점선으로 직선 표시하는 것으로 역제안했다. 그러면 공사비가 적게 든다는 것이다. 그런데 울산시에서는 김기현 땅이 있는 구부러진 길을 우겼고 결국 예타 통과가 되지 않았다. 결국 국비는 한 푼도 받지 못하고 울산시와 울주군 예산으로 도로를 건설하는 것으로 결정이 났다. 여기서 의문점이 생기는 것이다. KDI 제안대로 했으면 공사비도 적게 들고 국비가 가능했을 수도 있을 것인데, 왜 울산시가 고집하여 공사비도 더 드는 김기현 땅이 있는 곳으로 노선을 구부렸냐는 것이다. 그것도 울산 시민의 세금으로 만드냐는 것이다.

한 마디로 '삼동 역세권 연결도로'에 대해 KDI가 역으로 제안했는데도 그것을 무시했다. 그리고 김기현 땅을 지나가게 만들어 울산 시비와 울주 군비로 하게 되었다는 것이다. 그로 인해 김기현은 임청난 시세차익을 보았음이 추정된다. 주변 땅값이 현재 평당 200만 원 가까이 된다. 1,800배 가까이 뛴 것이다. 이 돈을 사회에 환원할 생각은 없는가?

자신의 이익을 위해서라면 울산시가 아무리 많은 비용을 지불하더라도 상관하지 않는 사람이 울산 남구을의 국회의원 자격이 있는가 묻지 않을 수 없다.

*이 선거는 필승 선거입니다.

울산 발전의 걸림돌이자 국민의 힘의 힘 있는 국회의원 후보 김기현이 남구을에 출마했습니다. 저 박성진은 조금도 두렵지 않습니다. 이번 선거에서 김기현을 꺾어 민주당의 저력을 보여주겠습니다. 울산에서 밝힌 촛불이 전국으로 퍼져 어둠에 싸인 대한민국을 환하게 밝히겠습니다. 저 박성진은 이번 선거에서 확실하게 승리할 것입니다.

여론조사 꽃의 2월 23일 부·울·경 당 지지율 여론조사에 의하면 민주당 대 국민의 힘이 34대 48 정도로 14% 차이가 납니다. 이 조사는 국민의 힘 경선기간에 조사가 되었으며, 진보당도 포함된 조사입니다. 국민의 힘 경선기간 조사는 보수 과표집이 반영되어 있어 3% 정도 국민의 힘 지지율이 실제보다 높게 반영되었다는 것이 정론입니다. 또한, 진보당이 3% 정도 지지율을 보였기에 진보당 후보가 사퇴한 지금은 그 지지율이 민주당 쪽으로 옮겨 오리라 추정됩니다.

그리고 여론조사 꽃의 3월 4일 동구 여론조사는 권명호와 김태선, 확정된 후보자를 넣어 조사했습니다. 그 조사에서 2월 23일 조사보다 민주당 후보 김태선이 국민의 힘 권명호를 4.6% 앞선 것으로 조사되었습니다. 후보를 넣었을 때 당 지지율보다 3.7% 더 앞선 결과입니다. 그리고 이 조사에도 국민의 힘 과표 집이 되었습니다.

이와 같은 여론조사를 종합해 볼 때 현재 김기현과 박성진은 4~8% 정도밖에 차이가 나지 않는다는 결론을 내릴 수 있습니다. 조만간 여론조사 꽃에서 다시 남구을 여론조사를 실시할 예정입니다. 그때보다 정확한 여론조사 결과를 접할 수 있을 것입니다. 결론적으로 말씀드리자면 이번 선거는 해볼 만하다는 것입니다. 우리가 조금만 더 노력하면 승리할 수 있다는 것이 수치적으로 증명되었습니다.

국민의 힘 김기현을 이기면 그 상징성이 아주 크다고 할 수 있습니다. 윤석열 검찰 독재 심판을 앞당길 수 있음을 의미합니다.

미진하게 선거 운동을 하면 이길 수 있는 선거가 필패합니다. 아직 캠프가 완전히 구성되지 않았지만, 지금부터 더욱 치열한 싸움을 시작해야 합니다. 고맙게도 김기현 후보가 큰 선물을 주었습니다. 지난 20년간 국회의원 4선 울산시장 울산을 역임하는 동안 시민의 큰 사랑 받고 정권의 2인자까지 성장했습니다. 하지만 그 기간 동안 울산 남구을은 처참하게 몰락했습니다.

김기현 후보가 당선되면 대통령 임기 3년 반 동안 울산은 대통령의 지원을 받기 어려울 것입니다. 울산의 사랑과 지원으로 키운 힘 있는 전 여당 대표 김기현 후보 개인의 욕심이 울산 발전의 걸림돌이 되어서는 안 됩니다. 싸움은 상대의 약한 곳을 때려야 이깁니다. 그렇지 않으면 우리의 힘만 빠집니다. 김기현 후보의 가장 약점인 대통령과의 갈등을 이슈화하여 때리겠습니다.

김기현 후보가 당선되면 울산이 망한다는 말이 시민 사이에서 나오면 박성진 후보가 당선됩니다.

여러분 힘을 모아 주시기를 간곡히 부탁드립니다.

감사합니다.

❶ 현재 지역구 상황은?

– 페이스북으로 당 대표 사퇴한 김기현

윤석열의 내리꽂기 식으로 당 대표가 되었다. 여당 대표로 여당을 제대로 이끌지 못했다. 그 결과 윤석열에 대한 부정적 여론이 60%가 넘는다. 험지 출마를 하기를 바라는 당의 요구에도 불복하고 오로지 자신만의 이익만을 위해 상식적이지도 않은 방법으로 당대표직을 내던지고 남구을에 출마했다. 울산 남구을의 시민은 비상식적이지 않다. 윤석열 정권의 비상식과 김건희 불법에 대해 말 한마디 못 하다 토사구팽당하여 울산 남구을로 나온 것에 대해 국민의 힘 지지자들조차 불만을 이야기하는 사람이 많다.

– 김기현의 울산 20년은 경제 폭망이다.

20년 동안 울산에서 4선 국회의원과 시장까지 지냈지만, 울산 남구을은 인구가 12% 줄어드는 등 경제 상황이 더 악화되었다. 특히 우리나라 광역시 중에서 청년 인구 비율이 제일 낮다. 살기 어려워 울산 남구을을 떠나고 있음을 단적으로 보여준다. 울산의 강남인 남구을 거리를 가면 수많은 빈 점포를 볼 수 있다. 한 마디로 서민의 등이 휘어져 삶이 힘들다.

– 김기현은 윤석열에게 찍혔다.

윤석열이 남구을 출마보다 대표직을 유지하라는 요구에 불응했기에 윤석열에 반기를 들었다고 생각하는 사람이 많다. 한 마디로 윤석열에게 찍혔음을 의미한다. 윤석열에게 한번 찍히면 용서가 없다는 걸 우리는 알고 있다. 만약 남구을 국회의원이 되면 남구을에도 좋지 않은 영향을 미칠 것이란 여론이 많다.

❷ 선거 운동 중 벌어지는 일

- 유권자들께서 선거 외벽 현수막 미친에 관한 질문?
뭔가에 집중적으로 몰두하는 사람을 가리켜 미쳤다.
박성진이 생각하는 미친(美親)은 도전
"美親" 남구를 위해 아름답고 친근한 시민의 발이 되겠다.
"美親" 남구를 위해 미친 듯이 일하겠다.
"美親" 상식파괴 윤석열 정부의 저격수가 되겠다.

- 야권 단일화로 김기현 심판

울산 남구을은 보수성향이 강한 곳이다. 하지만, 울산시장과 남구청장이 민주당이 된 적도 있었다. 지금 선거는 윤석열 심판 분위기가 강하다. 국민의 힘에서도 김기현을 못 마땅히 생각하는 사람도 많고 야권 후보 단일화가 이루어졌기에 사적 영리만 추구하는 김기현을 심판할 것이다.

- 적극적 선거 운동
김기현은 제대로 된 선거 운동을 하지 않고 있다. 자신의 이름만

걸면 당선된다는 착각 속에 있다. 반면 우리는 선거 운동에 총력을 기울이고 있다. 도로가 김기현 땅으로 휘었다는 의혹이 제기된 수 많은 보도가 있다. 21대 국회의원 시절 법안을 하나도 만들지 않았다. PUM의 국회의원 평가 순위가 3월 현재 272위로 하위 10%이다. 한 마디로 국회의원 자격이 없는 후보다. 서울 중앙무대에서만 활동했으며, 지역을 위해 한 일이 없다. 반면 저 박성진은 15개월 동안 택시 운전을 하며 시민의 발바닥 민심을 훑었다. 현장 정치인으로 활발히 활동했다. 지역 여론은 현역 교체 의견이 더 높다.

– 김기현 심판에 강한 의견 제시한 시민들

김기현에 대한 부정적인 생각을 가진 사람이 많다. 우리 선거 사무실로 찾아와 김기현을 꼭 이겨달라고 말하는 사람이 있는가 하면, 거리에서 시민을 만나 악수를 하면 김기현을 꼭 이겨달라고 당부하는 시민을 많이 만난다.

❸ 울산 남구 기초의원 재·보궐 선거에서 민주당 당선

울산 남구는 정통적으로 보수 세력이 강하다. 하지만 윤석열과 여당 대표이던 당시 치러진 첫 선거에서 김기현 당 대표 지역 기초의원 보궐선거에서 많은 사람의 예상을 깨고 민주당의 최덕종 의원이 당선되었다. 윤석열의 폭정과 김기현의 무능함에 대한 첫 번째 심판이 이루어진 것을 의미한다. 아주 의미가 깊은 선거였다. 울산 남구에서 쏘아 올린 공이 서울 강서을 선거에도 그대로 이어졌다. 현재 각종 여론조사에서는 국민의 힘이 앞서는 것으로 나오지만, 실제 현장의 울산 남구을의 민심은 많은 차이가 있다.

❹ 험지 밖에 계신 민주당 지지자분들께 하고 싶은 말

민주당의 바람을 일으켜 달라. 현재 언론이 많이 편중되어 있다. 그것을 깨야 한다. 윤석열의 무능을 넘어 폭정 이슈를 많이 부각해 달라. 특히 부자 감세로 인한 민생 폭망과 김건희 이슈, 구부러진 양평 고속도로가 묻혀있는데 적극적으로 부각시켜야 한다. 여론조사 꽃의 지지율이 현실과 많이 맞는 부분이 있지만, 언론에서는 거의 다루지 않는다. 공천잡음이라는 말도 되지 않는 부정적인 이슈 등으로 민주당을 흠집 내기에 혈안이 되어있는 것 같다. 윤석열에 대한 부정적인 지지율이 압도적으로 높은데도 국민의 힘이 지지율이 높다는 것은 말이 되지 않는다.

❺ 왜 정치를 하십니까?

코오롱 유화 노조 위원장을 할 때였다. 아무리 뛰어도 제도권에서 움직이지 않으면 변화가 없다고 느꼈다. 그래서 제도권으로 진입하기 위해 구의원으로 출마하여 당선되었다. 나는 복지 사각지대 등 사회 약자를 위한 정치를 하고 싶었다. 그들이 잘 살면 우리나라 국민이 모두 잘살게 되는 것이다.

그리고 윤석열의 불합리와 검찰 독재 정권을 끝내고 싶다. 부자를 위한 정책이 아닌 서민이 잘사는 나라가 되어야 한다.

15개월 동안 택시를 해보니, 정치를 해야 하는 이유가 더 명확해졌다.

다문화 여성을 태우고 나눈 다문화 이야기
아이와 함께 탄 엄마와 나눈 아이 키우는 이야기
복지 사각지대에 놓인 손님의 이야기
반려견을 동반하고 탄 손님 이야기

택시 운전을 하면서 느낀 '어떻게 운전해야 울산이 행복한 곳'으로 운전할 수 있는지 느꼈고 이제 그 생각을 실행하려 한다.

❻ 국회의원이 된다면 하고 싶은 일

- 시민을 위한 정책 시행

15개월 동안 8만 km 택시 운전을 하며 시민의 많은 의견을 들었다. 그 의견을 듣고 시민에게 필요한 것이 무엇인지 알게 되었으며, 그에 맞는 정책을 공약으로 걸었다. 청년의 일자리와 주거, 태화강역을 구심점으로 하는 제2혁신 도시 구상 등이 그것이다. 울산 남구을을 사람이 살기 좋은 울산 르네상스의 중심으로 만들겠습니다

*MBC 퇴근길 톡톡 인터뷰

<박성진 후보 개인 질문>
측근 인터뷰를 토대로 작성한 질문입니다.
진행자 재량에 따라, 질문이 유동적일 수 있음을 알립니다.

1. 마라톤은 언제부터 시작하셨어요?
 30대 중반부터 마라톤을 꾸준히 했습니다. 요즘 마라톤이 유행인데요. 그런 거 보면 제가 좀 유행에 빠른 것 같습니다.

2. 요즘이 체력이 가장 많이 필요한 시기잖아요, 마라톤 경력이 도움이 좀 되세요?
 선거는 지구력이 중요합니다. 젊은 시절 마라톤 경력이, 정신력을 강하게 하는 데 도움이 됩니다.

3, '자신과의 약속은 꼭 지킨다'라고 하셨는데, 요즘 새기는 '나와의 약속'이 있다면요?
 아무래도 선거철이다 보니 '출근 인사', '퇴근 인사'를 빼놓지 않고 하는 것입니다. 선거 끝날 때까지 이 약속 잘 지켜 시민들에게 한 걸음 더 다가가겠습니다.

4. '숏폼' 어플이 많이 깔려 있다고 하는데, 콘텐츠를 직접 만들기도 하세요?
 만들지는 못하지만, 요즘 젊은 청년들의 관심사는 무엇인지에 대해 보기도 하고 소통과 공감대를 형성하기 위해 틈틈이 보긴 합니다.

5. 관심사가 '기후 위기'라고 들었는데, 구체적으로 어떤 부분에 관심이 많으세요?

 탄소 중립과 RE100 달성을 위한 '부유식 해상풍력 단지'에 관심이 많습니다. 최근 독일의 자동차 회사가 국내 부품사가 재생에너지를 사용하지 않았다고 공급을 거절하는 일도 있었는데요. 남구의 산업단지 내 기업들도 위기입니다. 그래서 이것에 관한 관심을 꾸준히 갖고 있습니다.

6. 잔소리가 하나도 없다고 증언을 해주셨어요, 정말 잔소리할 게 없어서 인가요, 그냥 눈감아 주시는 건가요?

 잔소리가 잦으면 일의 능률이 떨어지고 사기가 떨어집니다. 함께 일하시는 분들을 최대한 안정적으로 해주기 위해 노력합니다.

7. 지금까지는 측근의 생각을 토대로 얘기해봤는데, 후보자 스스로가 생각하는 '박성진'이라는 사람은?

 美親 박성진

남구에 미쳐 있습니다. 오직 남구만 생각하거든요.

내 지역구와 관련한 퀴즈 준비 부탁
(ex. 후보가 좋아하는 장소, 우리 지역구만의 특징 등.)

울산의 상징, 고래 올해 28회째를 맞는 고래 축제가 열리기도 하며, 과거 울산의 포경산업을 이끌기도 했던 이곳은 어디일까요?

1번. 장생포 2번. 삼천포 3번. 구룡포

<공약 질문>

1. 4년 만의 재도전이다. 정식 후보로 이름을 올리기까지의 과정은 어땠나?
　심규명 후보와의 경선을 통해 후보가 되기까지 그 과정이 쉽지는 않았습니다. 더불어민주당 중앙당의 공직선거후보자 추천관리위원회 심사를 통해 후보로 선정되었는데요. 역시 공당의 국회의원 후보가 된다는 게 결코 쉬운 일이 아님을 다시 한번 느꼈습니다. 쉽지 않았던 만큼 압도적 승리로 보답하겠습니다.

2. 후보님이 생각하는 우리 지역구의 가장 시급한 현안은 뭔가?
　아무래도 의료인프라겠죠. 그중에서도 소아 청소년 의료는 더 상황이 좋지 않습니다. 육아의 과정에서 가장 힘든 부분이 아이가 아픈 상황일 겁니다. 아이를 키우는 많은 부모님이 100% 공감하실 텐데요. 응급실 외 평일 야간시간대 그리고 휴일에도 소아 경증 환자들에게 신속한 외래진료 서비스를 제공하는 의료인프라가 하루빨리 구축되어야 한다고 생각합니다.

3. 모든 공약을 들어보기엔 애석하게도 시간이 많지 않다. 후보님이 준비한 '주요 공약' 중 딱 세 가지만 소개해 주신다면?
　먼저 태화강역에 KTX 열차 노선을 유치하는 것입니다. 현재 울산역 서울역 노선은 KTX 열차가 운행 중이고, 태화강역 청량리역 노선은 최대 250킬로 운행하는 이음 열차가 계획 중입니다.
　4년 전에도 제가 제1호 공약으로 내세웠는데 상대 후보인 김기현 후보님께서는 기술적인 문제로 안된다고 했거든요. 근데 이번에는 남의 공략을 베껴서 나오셨더라고요.

두 번째는 청년이 살기 좋은 도시를 만들기 위한 공약인데요. 지역 내 공공기관에 지역 청년을 40% 의무 고용하는 법안을 만들겠습니다. 현재 혁신도시에 여러 공기업을 유치했지만 지역 청년 고용률은 20%에 불과합니다. 이 법안을 통해 지역 청년 고용 활성화에 힘쓰겠습니다.

또한 '울산형 MZ 드림 만원 주택' 제도를 실행해 청년들의 집 걱정을 덜도록 하겠습니다.

마지막으로 반려동물 문화공원 조성입니다. 우리나라 인구중에 반려동물을 키우는 가정이 312만 가구입니다. 울산에도 많은 분께서 반려동물을 키우고 계시는데요. 반려동물 문화공원을 남구에 조성해 울산시민들이 반려동물과 편안하게 공존할 수 있는 환경을 조성하겠습니다.

4. '지역'의 최대 고민인 '인구 절벽, 지역 소멸' 문제에 대한 생각도 궁금하다.

정부가 지방소멸을 오랫동안 국정 의제로 삼아 다양한 정책을 추진했음에도 수도권 과밀과 불균형, 인구급감으로 지역 경쟁력은 갈수록 하락하고 있습니다. 저는 그 문제가 청년이 울산을 떠나고 있는 것이 원인이라고 생각합니다.

울산의 청년 인구가 23.8%로 전국 광역시 가운데 최하위입니다. 이것은 울산 청년이 얼마나 울산에서 살기가 어려운가를 반증하는 것입니다. 이것의 해결책으로 지난 정권에서 부·울·경 메가시티를 구축했는데 지금 국민의 힘 단체장들이 그 연합을 다 깼습니다. 그러는 동안 김기현 후보는 "김포를 서울에 편입해야 한다". "수도권 메가시티 해야 한다". 발표를 하기도 했고요. 지역 의원이 지방소멸 의제가 아닌 수도권 메가시티를 주장했다는 것이 저는 좀 아이러니하더라고요. 앞서 말씀드렸던 정책을 잘 추진해 살기 좋은 울산을 만들도록 하겠습니다.

5. 최근 현안인 의료 공백 이슈에 대한 '지역 맞춤형 공약'도 구상해 보셨나?

지역 의료 인프라 구축입니다. 저 박성진은 2017년부터 국립병원 유치위원회 공동 위원장을 맡아 울산의 의료인프라 구축을 위해, 끊임없이 노력하고 있습니다. 남구에 달빛어린이병원 지정해 유치하겠습니다.

하루 24시간, 언제든지 신속하게 아이를 치료할 수 있는 의료 인프라를 구축해 아이를 키울 때 갈 병원이 없어 발을 동동 구르는 부모의 안타까움을 덜어주겠습니다. 아이를 낳으라고 말만 할 것이 아니라 아이를 낳고 잘 키울 수 있는 여건 마련을 우리 남구에 마련하겠습니다.

6. 지역 사무 외, '국회의원'으로서 구상하고 있는 공약은?

김건희 특검법 재상정이죠. 지금 국민이 가장 공분 하는 사건 아닙니까. 여론조사에서도 국민의 65%가 찬성했던 김건희 주가조작 특검법이 윤석열 대통령이 거부권을 행사하고 국 힘의 반대로 통과하지 못했습니다.

선거운동을 하러 가보면 이게 공정이냐? 라고 말씀하시는 시민들이 많아요. 그래서 반드시 김건희 특검법을 재상정할 것입니다.

7. 국회 사무는 혼자 결정할 수 있는 일이 없는데. 모든 공약

을 어떻게 구체화해 나갈 것인지, 계획도 궁금하다.

많은 분의 목소리에 귀 기울일 준비가 되어있습니다. 정책 실현을 위해 조언도 받고, 주민 공청회를 통해 의견도 수렴하며 정책 실현을 위한 시민거버넌스를 구축하겠습니다. 또한, 능력 있는 보좌진들이 언제나 일할 준비를 하고 있습니다. 뽑아만 주시면 바로 일 할 수 있습니다(웃음)

8. 공약 실현에 있어서 후보님만이 가진 장점이 있을까?

저 박성진은 발로 뛰는 현장 정치인입니다. 풀뿌리 민심을 알아야 그에 맞는 정책을 펼 수 있습니다. 저는 지난 15개월 동안 택시 운전을 하면서 현장에서 직접 시민의 다양한 목소리를 들었습니다. 그렇기에 시민에게 가장 필요한 정책을 펼 수 있다고 생각합니다.

9. 질문에 없었지만, 시민들에게 꼭 전하고 싶은 말이 있다면 허심탄회하게 풀어주시면 좋겠다, 2분 드리겠다.

유튜브에 검색해보시면 "총선 남구을, 초선인가 5선인가"란 JCN 뉴스 영상이 있습니다. 조회 수가 17만 회를 넘었습니다. 저 박성진은 거기 적힌 수백 명의 울산시민 분노가 담긴 댓글을 보았습니다. 시민 여러분 저 솔직히 김기현 후보보다 많이 못 배웠습니다. 많이 배우고 똑똑한 사람이 자신의 사리사욕을 채운다면 정말 위험하다고 생각합니다.

저는 시민과 함께 소통하기 위해 15개월 동안 택시 운전을 했습니다. 정말 많은 분의 애환을 듣고 눈시울을 적실 때도 있었습니다. 저 특별한 사람 아닙니다. 하지만 여러분과 항상 눈높이에 맞춰 뛸 것이며 절대로 배신하지 않는 정치인이 되겠습니다.

 존경하는 울산시민 여러분!

남구을 삼산동, 야음장생포동, 달동, 수암동, 대현동, 선암동 주민 여러분! 윤석열 정부는 대한민국의 미래를 휘어진 길로 만들었습니다. 양평 고속도로가 대통령 측근 일가의 땅으로 휘었습니다. 울산역 인근 도로가 지역 정치인의 땅으로 휘어졌습니다. 정의가 휘었고 공정이 휘었습니다. 자신의 사리사욕만 채우는 정치인 때문에 대한민국이 휘어졌습니다.

 더불어민주당 울산 남구을 국회의원 후보 기호 1번 박성진이 휘어진 대한민국을 바른 길로 세우겠습니다. 감사합니다.

*TV 토론 분석

1. 김기현 후보 공약 이행에 관련된 허위 주장
총 26건 50% 이상 완료된 것-지역 공약 19건 중에서 17건 완료

제2 명촌교 건설 중
수소 트램 도시철도 추진 중
공영주차장 확충추진
경제 자유구역 내 투자기업 세제 감면 확대
장생포 고래문화특구 활성화 추진
동해남부선 복선전철
여천천 정비 산업
울산항의 다목적 소방정 도입

 TV 토론에서 김기현이 공약 이행했다는 것은 21대 총선의 공약과는 다른 것이 대부분이다. 공약 이행률이 떨어진다는 박성진 후보의 주장을 반박한 것은 모순이다.

2. 2차 전지와 관련된 내용

 낡은 규제 개혁은 신속히 이루어져야 한다. 문재인 정권은 그린벨트 해제를 두고 우왕좌왕하다가 환경과 미래세대를 위한다는 명분을 내세워 백지화했습니다. 그 결정이 울산의 발목을 잡았습니다.

지난해 각고의 노력 끝에 2차전지 특화단지를 유치했다.

==>2007년부터 하이테크밸리 일반산업단지를 추진하였다. 그 안에 2차 전지 특화단지 부지가 들어있었다. 그린벨트가 해제되지 않아 부지가 없어 2차 전지 특화단지 개발 추진을 중단했다는 것은 사실과 다르다. 또한, 2차 전지 특화단지 또한 부지가 없어 중단된 것이 아니라, 송철호 시장 때부터 추진한 것인데, 작년에 결정이 된 것이다.

울산은 현재 개발에 필요한 부지가 부족하다. 도시의 난개발 억제를 위한 그린벨트가 도시의 성장을 억제하고 있다. 울산의 행정구역 약 25% 그린벨트다. 그린벨트 해제되지 않으면 신규 산업단지가 사실상 불가능하다. 신규 산업단지를 만들려면 첫 단계인 그린벨트 해제부터 어렵고 인허가 등에 수년이 걸리니 기업들이 대규모 투자를 망설인다. 지역 여건을 감안하지 않는 중앙정부가 가진 그린벨트 해제 권한을 지방정부에 이양하는 방안을 마련하겠다. 그리고 해제 기준을 완화하겠다.
그린벨트를 해제 기준을 완화하여 2차 전지 생산기지 등 신성장 산업의 거점을 확보하겠다.

*민주당과 진보당이 뭉쳐 윤석열 대파를 격파하자

 진보당 조남애, 김진석이 박성진을 야권 후보로
내세우고 검사 독재 정권 끝내기 위해 함께 뭉쳤습니다.
함께 힘을 모아 불끈 쥔 주먹은
윤석열의 대파를 격파할 것입니다.
이번에 심판하지 않는다면 대한민국의 미래는 물론
울산 남구을의 미래도 참담해집니다.
우리는 오로지 윤석열의 폭정을 끝내려고 뭉쳤습니다.

반윤 연합으로 민생, 복지, 노동, 인권, 기후를
되살리는 국회를 만들겠습니다.
울산에서 쏘아 올린 반윤의 로켓은
전국을 강타할 것입니다.
전 여당 대표 김기현을 이기는 것은
국민의 힘을 이긴다는 상징성이 매우 큽니다.

이제껏 남구는 울산의 보수정치 1번지였습니다.
이제 국민의 힘을 끝장내고 울산 남구을을
진보의 1번지로 만들겠습니다.
윤석열 정권을 심판하고 정치개혁과
사회개혁을 실현하는 거대한 변화의
바람을, 돌풍을, 태풍을 일으키려 합니다.

무지막지한 윤석열 독재는
대한민국뿐만 아니라 산업 수도인
울산의 심장도 멎게 했습니다.
도저히 숨을 쉬며 살 수가 없습니다.
이렇게 죽어가는 울산을 살리기 위해서는
심폐소생술이 필요합니다.
그것의 시작이 윤석열 정권을 반대하는
모든 사람이 힘을 합치는 것입니다.

물가는 폭등하는데 대파 한 단 가격이
875원이라는, 민생을 몰라도 너무 모르는
대통령 때문에 우리는 너무 살기가 힘이 듭니다.
이런 사회가 제대로 된 사회라 말할 수 없습니다.
변화가 절실하게 필요합니다.
민주당과 진보당 간의 연합은
한국 정치에 새로운 변화를 불러올 것입니다.

뭉치면 살고 흩어지면 죽습니다.
더는 공정과 상식이 오염된 태화강에서
숨이 막혀 살 수 없습니다.
태화강은 푸르게 흘러야 하며,
그것이 윤석열을 심판하는 것입니다.

함께 힘을 합쳐 대파를 든 윤석열을 격파하여

울산을 살기 좋은 도시로 만들겠습니다.

감사합니다.

*윤석열과 김기현을 심판합시다.

사랑하는 남구을 주민 여러분!
더불어민주당 국회의원 후보 박성진입니다.

이번 선거는 대한민국 국민을 수렁으로 빠뜨린
윤석열과 전 국민의힘 대표 김기현 심판 선거입니다.
'이채양명주'란 말이 유행하고 있습니다.
첫째, '이'는 이태원 참사에 책임지지 않는 윤석열
둘째, '채'는 채상병 죽음에 외압을 가한 윤석열
셋째, '양'은 양평 고속도로가 처가 땅으로 휘어지고
넷째, '명'은 명품 가방을 받은 김건희
다섯째, '주'는 주식거래로 23억 원을 번 김건희를 말합니다.
한 가지만 해도 윤석열 정권을 심판해야 하는데
이렇게 많은 잘못을 저지르고도
윤석열은 자신과 김건희에 대해 수사를
못하도록 막고 있습니다.
윤석열도 문제지만 이런 잘못을 보고도
말 한마디 못 한 전 여당 대표 김기현도
책임에서 자유로울 수 없습니다.
그렇기에 이번 선거는 윤석열과 김기현을
동시에 심판하는 선거가 되어야 합니다.

*폭망 5가지 '검민언외상'

이에 저는 **폭망 5가지**를 추가하려 합니다.

'검민언외상'

첫째, '검'은 검사 정의 폭망입니다.

법은 만민에 평등해야 합니다.

그런데 시퍼런 검사의 칼날은 윤석열 정부의 독재를 가로막는

민주당에는 무차별적으로 휘두릅니다.

반면에 윤석열, 김건희의 비리에는 칼날이 부러졌습니다.

김건희 방탄 검사로 인해 대한민국 정의가 폭망했습니다.

지금 대한민국은 검사 독재 민국이 되었습니다.

둘째, '민'은 민생 경제 폭망입니다.

많은 경제 지표가 추락했습니다.

청년과 베이비붐 은퇴 세대는 일자리가 없고

자영업자는 눈물을 흘립니다.

사과 하나 값이 만 원을 넘을 만큼 물가가 치솟았습니다.

2년도 안 된 윤석열 정부가 대한민국 경제를 폭망시킨 탓입니다.

앞으로도 3년이 남았다고 생각하니 걱정을 넘어

얼마나 더 대한민국을 망칠까 두렵기까지 합니다.

셋째, '언'은 언론 폭망입니다.

윤석열은 자신의 폭망 정치를 비판하는 언론에 대해

무자비한 탄압을 가하고 있습니다.

KBS는 땡윤 방송이 되었습니다.

그러자 조·중·동을 비롯한 많은 언론도

윤석열 눈치를 보며 민주당을 비판하고 있습니다.

MBC에 대해서는 회칼 테러란 말로 겁박했습니다.

언론은 국민과 정부가 소통하는 입입니다.

윤석열 정부의 '입틀막'은 국민과 소통하지 않겠다는 의미입니다.

국민을 무시하고 우롱하는 정치입니다.

넷째, '외'는 외교 폭망입니다.

민생은 외면하고 김건희를 동반하고

세계 각국으로 국빈 대접받으며 여행을 다녔습니다.

국민은 어렵다고 난리인데 대통령이 되자마자

기회다 싶었는지 국민의 혈세로 세계여행을 다녔습니다.

부산 엑스포 유치 실패는 국민을 상대로

사기 친 걸로밖에 생각할 수 없습니다.

하루 전까지 엑스포 유치가 될 것으로 선전해 놓고

119대 29라는 처참한 성적으로 사우디에 패했습니다.

채상병 사건의 피의자인 이종섭을 호주 대사로 임명하여

출국금지를 풀고 도주시켰습니다. 국제적인 외교 망신입니다.

다섯째, '상'은 상식 폭망입니다.

공정과 정의를 말하며 대통령이 된 윤석열의 2년은

더 이상 상식이 통하지 않은 나라가 되었습니다.

대통령이 전국을 돌며 선거 운동하고 있습니다.

대통령이 책임을 지지 않습니다. 모든 게 전 정부 탓입니다.

새만금 세계 스카우트잼버리 실패도 전 정부 탓입니다.

홍범도 장군을 공산주의로 몰고

징용공 문제를 멋대로 해결해 주고

위안부 할머니 가슴에 대못을 박는
친일 정치를 펴고 있습니다.
윤석열 정부는 상식적인 정치가 아니라
고집불통 정치를 하고 있습니다.
이런 윤석열 정부의 폭망 정치를 도운 사람이
전 여당 대표 김기현입니다.
'검민언외상' 정치를 하는 윤석열과 김기현에 대해
이번 국회의원 선거일에 다 함께 심판합시다.
국민을 깔보는 윤석열과 김기현을 심판합시다.
한 가지 더 추가하면
저희 선거사무실로 하루에도 몇 명씩
김기현을 심판해달라는 시민이 찾아옵니다.
말로 할 수 없이 분노한 시민들입니다.
그들에게 약속했습니다.
꼭 김기현을 심판하겠다고요.

*이채양명주

 이번 선거는 대한민국 국민을 수렁으로 빠뜨린 윤석열과 전 국민의힘 대표 김기현 심판 선거입니다. '이채양명주'란 말이 유행하고 있습니다.

 첫째, '이'는 이태원 참사에 책임지지 않는 윤석열을 의미합니다. 청와대는 종로에 있습니다. 종로 경찰서에서 오랫동안 베테랑 경찰이 경비를 맡았습니다. 그런데 국민의 동의를 구하지 않고 수백억의 혈세를 들여 대통령실을 용산으로 옮겨버렸습니다. 용산 경찰서는 갑자기 대통령실의 경호를 맡게 되었습니다. 이태원 참사가 일어난 그날 경찰들은 용산 대통령을 경호하느라 이태원에는 경비 인력이 배치되지 않아 대형 참사가 일어난 것입니다. 한 마디로 이태원 참사는 윤석열의 무리한 대통령실 이전이 부른 참사입니다. 수많은 젊은이가 죽었습니다. 그런데 윤석열은 아무런 책임을 지지 않습니다.

 둘째, '채'는 채상병 죽음에 외압을 가한 윤석열을 의미합니다. 수사권은 어떤 외압도 허용하지 않습니다. 김기현은 6년 전 청와대 하명수사로 인해 자신이 피해를 입었다고 피해자 코스프레를 선거 때마다 입버릇처럼 하고 있습니다. 그런 수사권 외압을 윤석열이 채상병 수사에 행사하였습니다. 피의자 이종섭을 호주 대사로 임명해 도망가게 만든 것은 누구나 다 아는 사실입니다.

 셋째, '양'은 양평 고속도로가 윤석열 처가 땅으로 휘어진 것을 의미합니다. 권력을 자기 멋대로 행사했습니다. 김기현 또한 자신의 땅으로 도로가 휘어졌다는 의혹은 유명합니다. 시중에는 땅 기현이

란 말까지 나오고 있습니다.

넷째, '명'은 명품 가방을 받은 김건희를 의미합니다. 서민은 살기 힘들어 아우성치는데, 대통령 부인은 명품 가방을 받았습니다. 그리고 그에 대한 수사도 못 하게 막고 있습니다.

다섯째, '주'는 주식거래로 23억 원을 번 김건희를 말합니다. 23억은 검사 기소장에 기재된 금액입니다. 검사 독재 정권이 자백한 범죄임에도 수사가 이루어지지 않고 있습니다.

한 가지만 해도 윤석열 정권을 심판해야 하는데 이렇게 많은 잘못을 저질렀습니다. 윤석열도 문제지만 이런 잘못을 보고도 말 한마디 못 한 **전 여당 대표 김기현도 책임**에서 자유로울 수 없습니다. 그렇기에 이번 선거는 윤석열과 김기현을 동시에 심판하는 선거가 되어야 합니다.

*TV 토론 시의 김기현 말에 대한 반박

김기현 말에 대한 반박 1

김기현 후보는 출정식에서 "나라가 거꾸로 가는 것을 보고 잠을 이룰 수 없다"라고 이야기했다. 한 마디로 개가 웃을 이야기다. 지금 나라를 이끄는 것이 누구인가? 바로 윤석열 정부다. 나라를 거꾸로 가게 만든 사람들이 남 탓을 하며 자기가 국회의원이 되어 나라를 구하겠다고 한다. 이때까지 누가 국회의원이었는가? 4선을 하고 시장까지 하고 집권, 여당의 대표까지 하지 않았는가? 이제까지 나라를 거꾸로 가게 만든 장본인이 다시 국회의원으로 만들어 주면 나라를 바로 잡겠다고 말도 안 되는 소리를 한다. 국회의원일 때는 나라가 이렇게 거꾸로 갈 때까지 집권당 대표로서 윤석열 정부에 말 한마디 제대로 못 한 사람이 누구인가?

대통령 영부인이 명품 백을 받고 주가 조작하여 23억을 벌고 양평 고속도로를 휘게 했으며, 대통령이 대파 가격을 875원이라 말하고, 야당 대표를 범죄자로 만들기 위해 검사를 동원한 것이 나라를 거꾸로 만들게 된 원인이다. 지금 60%가 넘는 국민이 국정운영을 잘못하고 있다고 말한다. 국정운영을 잘못하여 나라가 거꾸로 가게 된 것이다.

나라를 거꾸로 가게 만든 장본인이 자기 잘못을 남 탓으로 돌리고 국회의원으로 뽑아달라는 것은 국민을 무시하는 행위다. 국민은 국민을 무시하는 사람보다 국민을 무서워하는 사람이 국회의원이 되기를 바란다.

김기현 말에 대한 반박 2

　김기현은 출정식에서 "6년 전 민주당 시장을 뽑으니, 울산이 발전하기는커녕 퇴보했습니다. 인구가 줄어들었습니다." 라고 말했습니다. 말도 되지 않는 말을 하고 있습니다. 2004년부터 현재까지 김기현은 단 2년을 제외하고 울산시장과 남구의 국회의원이었습니다. 울산 남구 인구는 2003년 34만 7천 명에서 2023년 30만 6천 명으로 12%가 줄어들었습니다. 울산 남구를 대표한 사람이 2년 정도 대표하지 않은 그 기간 때문에 울산이 발전하지 않고 인구가 줄었다는 것이 도대체 말이 됩니까?

　또한, 미래 산업에 투자해야 할 돈을 다 나눠 써버렸다고 합니다. 이 또한 전임 송철호 시장에 대한 비판입니다. 하지만 윤석열 정부가 R&D 예산을 삭감한 것은 누구나 다 아는 사실입니다. 자신의 잘못을 남 탓으로 돌리는 사람에게 무엇을 기대하겠습니까? 입만 열면 남을 탓하고 입만 열면 거짓말을 일삼는 김기현에게 울산을 맡긴다면 지금도 많이 힘든 울산 남구의 미래가 더 처참하게 될 것입니다.

　울산을 발전시킬 젊고 열정적인 박성진이 있습니다. 이젠 정말 김기현에게 울산 남구를 맡길 수 없습니다. 울산 남구를 위해 뼈를 갈아 넣어 일할 박성진이 있습니다. 한순간 한순간 남구만을 생각하고 남구를 발전시킬 일 잘하는 박성진을 선택해 주시기를 바랍니다.

*청년, 나도 할 말 있습니다.

거리에 벚꽃이 활짝 피었습니다. 하지만 저의 마음은 아직 봄을 맞이하지 못하였습니다. 봄은 왔지만, 마음속은 아직 찬 바람이 쌩쌩 불고 있습니다. 희망을 가지는 것조차 과분하여 얼음 위에 맨발로 서서 찬 바람에 오들오들 떨고 있습니다.

저는 44살입니다. 결혼 10년 차 두 아이를 키우는 아빠입니다. 결혼하면 삶이 여유로워질 거라 생각했습니다. 근데…. 그렇지 않더군요. 아파트 한 채 장만하기 어렵고, 아이를 낳아 키우는 여건도 녹록지 않았습니다.

이건 저만의 문제가 아닙니다. 이 시대를 함께 살아가는 우리나라의 많은 청년의 현실이기도 합니다. 그렇기에 우리 청년은 봄이 되어도 봄을 느낄 수 없으며, 춥고 암울하다 못해 처참하기까지 합니다.

20·30세대를 N포 세대라고도 부릅니다. 처음에는 연애, 결혼, 출산을 포기한 3포 세대였습니다. 생활비 증가, 등록금 부담, 취업난 등으로 인해 젊은 세대가 세 가지를 포기하게 된 것입니다. 그러다가 집, 경력, 인간관계, 희망 등을 포기한 7포 세대가 되었다가 건강, 외모, 여행 등 점점 포기할 거리가 점점 늘어나 결국은 셀 수 없이 많은 것들을 포기하게 된 것입니다. 그것을 우리는 N포 세대라 부릅니다. 그만큼 청년이 살아가기 힘이 듭니다.

우리나라는 세계적인 저출산 국가입니다. 윤석열 정부는 저출산이 문제라는 말을 수도 없이 하면서 정작 아이를 낳아 키우는 여건은 마련해주지 않았습니다. 우리도 아이를 낳아 잘 기르고 싶습니다.

하지만 아이의 부양비용이 천문학적으로 들고 청년 여성들은 경단녀라는 벽에 부닥치는 것이 현실입니다. 사회 구조적 환경은 만들어 주지 않은 채 아이만 낳으라고 하면 어찌 아이를 낳겠습니까?

지금 우리 세대가 처한 현실이 차가운 겨울에 맨몸으로 떨고 있는데, 아이를 낳는다면 아이 또한 그 추위에 떨 수밖에 없지 않겠습니까? 우리 아이들에게까지 이런 암울한 현실을 겪게 하고 싶지 않기에 아이를 낳지 않는 것입니다.

윤석열 정부는 청년이 잘사는 나라를 만들겠다는 말을 수도 없이 했습니다. 하지만 그러한 말들은 공허한 메아리에 불과했습니다. 청년의 삶을 개선해 주기는커녕 부자들 세금을 깎아주면서 일자리 예산마저 삭감했습니다. 고물가로 인해 어렵게 얻은 직장마저 생활비를 감당하지 못해 허덕이는 지경에 빠졌습니다.

윤석열 정부는 우리의 말은 듣지 않고 앵무새처럼 같은 말만 반복하는 고장 난 스피커 같습니다. 청년이 못 살겠다고 아우성치면 입틀막을 합니다. 다른 나라 말을 하는 것이 아닌 우리나라 말을 하는데도 그 말을 알아듣지 못합니다. 알아듣지 못하니 청년들을 위하는 정책을 펼 수 없는 것입니다. 무지와 무능과 무관심이 청년들을 더욱 암울하게 만들고 있는 것입니다.

우리도 잘 살고 싶습니다. 결혼도 하고 아이도 낳아 잘 기르고 싶습니다. 이런 우리의 시급한 현실은 외면한 채 윤석열 정부는 독립투사 홍범도 장군을 공산주의자로 모는 등 철 지난 이념 논쟁으로 시간만 허비하고 있습니다.

물가가 올라 살기 어렵다고 말하면 875원짜리 대파를 들고 사진 찍으며 왕 노릇 하기에 여념이 없습니다. 여당의 비대위원장인 한동훈은 그 잘난 얼굴을 남기고 싶은지 셀카만 찍으며 대선 놀이에 빠져있습니다.

국가의 미래를 좌우할 R&D 예산은 삭감한 채 김건희를 데리고 수많은 혈세를 들여 외국 여행하기 바쁩니다. 대통령 된 김에 국민의 세금으로 여행이나 실컷 하자고 생각하는 것 같습니다. 우리가 여행이나 하라고 대통령으로 뽑아주었습니까?

청년이 잘사는 나라를 만들어 주십시오. 청년이 연애도 마음껏 하고 사랑하는 사람을 만나 결혼도 하고 아이도 낳아 기르고 부모님께 효도도 할 수 있는 그런 나라로 만들어 주십시오. 여가를 즐기고 자기 계발을 하여 미래를 대비할 수 있도록 만들어 주십시오.

일만 하는 기계가 아니라 사람다운 사람으로 살아갈 수 있는 그런 나라를 만들어 주십시오. 청년들이 잘사는 나라는 우수한 교육 시스템과 교육비가 저렴한 나라입니다.

다양한 취업 기회와 높은 고용률을 가진 나라입니다. 강력한 사회적 복지 시스템을 통해 청년들이 먹고사는 문제를 걱정하지 않는 나라입니다.

다양한 문화와 사람들과 더불어 관계를 맺고 살아갈 수 있는 사회적 환경이 조성된 나라입니다. 주거 문제 걱정하지 않아도 되는 나라입니다.

검사를 이용하여 야당 죽이기에만 온 국가의 에너지를 퍼부을 것이 아니라 측근과 자신의 비리에 눈감는 불공정한 나라가 아니라 고집불통으로 다른 사람의 말에 귀 막는 나라가 아니라 청년이 행복하게 살아갈 수 있는 나라를 만들어 주시기를 바랍니다.

*안녕하세요? 남구을 국회의원 후보 박성진입니다.

정권 심판 D-3일입니다.
피가 끓어오르는 심정으로 저는 오늘 새벽부터
72시간 철야 선거 운동에 들어갑니다.
울산 남구을은 1 + 1 심판입니다.
무능을 폭정으로 일관하는 윤 정부 +
할 일 하지 않고 사리사욕만 채우는 사람

이제 더는 안 됩니다.

남구을(삼산동, 야음장생포동, 달동, 수암동, 대현동, 선암동)
주민 여러분! 더 늦기 전에 바꿔 주세요.
일 안 해도 선거 때 빨간 옷만 입으면 당선된다고 생각하고
주권자 기만하며 표 찍는 도구로만 여기는 사람,
자기 이익 위해 울산 팔고 울산 망신시킨 사람,
부·울·경 메가시티는 파괴하고 출마 저울질하며
서울 메가시티 주장한 사람.

이제는 정말 더는 안 됩니다.

울산 남구의 새로운 인물,
나이만이 아닌 생각까지 젊은 후보.
시민의 눈높이에 맞는 국회의원이 되어

KTX를 태화강역에 유치, 울산형 MZ만원주택 시행,
달빛어린이병원 유치, 반려동물 문화공원 건립
약속 반드시 지키고 남구를 울산의 제2 전성시대의
중심으로 만들어 가겠습니다.

민생을 위해 하얀 뼈 갈아 넣을 각오한
국회의원 박성진을 지지해 주시기를
간곡히 부탁드립니다.

*D-2일 울산 남구을 판세 분석

- 여론조사의 문제점

우리나라에는 여론조사 기관이 50개가 넘게 있다. 이들 대부분은 ARS나 직접 전화 방식으로 여론조사를 한다. 그런데 문제가 되는 부분은 조사 대상 인원이다. 대부분 1,000명 선이다. 1,000명으로 우리나라의 여론을 말한다는 것부터 적절하지 않다.

그리고 여론조사 방법 또한 왜곡될 가능성이 크다. 가령 30~40대는 직장인이 많다. 낮에 전화하면 일에 바빠 통화하기가 어렵다. 휴일에는 가족과 함께하기에 전화 통화가 불편하다. 반면 시간이 상대적으로 많은 60대 이상은 통화하기가 쉽다. 그리고 경선기간에는 후보자들이 지지자들에게 전화를 받으라고 독려하는 경우가 많아 과표집이 일어난다.

이렇게 조사한 여론조사로 언론사에서는 이것이 진실인 양 대대적으로 방송한다. 여론의 왜곡 현상이 심하다는 의미다. 예로 서울 강서구의 경우 17% 차이로 민주당 후보가 승리했다. 하지만 하루 전 대부분 여론조사에서는 국민의 힘이 이기거나 비슷하게 나왔다. 그런데 16%로 민주당이 이기는 여론조사 기관도 있었다. 바로 김어준이 하는 여론조사 꽃이다.

하지만 언론에서는 여론조사 꽃의 여론조사를 거의 다루지 않는다. 보수 세력에게 불리한 여론조사는 다루지 않는다는 의미는 언론이 편중되었다는 것을 의미한다. 언론은 국민의 여론에 많은 영향을 끼친다. 정확하지 않은, 보수에 편중된 여론 왜곡은 진보 쪽에 불리하게 작용한다. 큰 차이가 나면 아예 투표하러 가지 않는 경향도 생긴다. 왜곡된 민심이 그대로 확정되는 경향이 생기는 것이다. 여론조사 꽃의 조사는 조사 대상 인원이 서울에만 2만 5천 명이 넘는다. 상식적으로 어느 여론조사가 정확성이 높겠는가? 여론조사 꽃에서는 한 번도 민주당이 국민의 힘보다 지지율이 낮게 나온 적이 없으며, 항상 10% 이상 앞서는 결과가 나왔다. 여론조사 기관의 여론과 민심은 따로 움직이고 있다.

지금 나는 박성진 선거 캠프에 들어와 있다. 현재 남구 갑의 정당 지지율은 민주당 37%, 국민의힘 45%이다. 남구을에 대한 여론조사가 없으니 남구 갑으로밖에 추론할 수밖에 없다. 남구 갑은 남구을보다 보수성향이 강하다. 2% 정도는 가감이 있을 것이다. 그러면 민주당 39% 국민의힘 43%가 된다. 국민의힘 여론조사에서 4% 김기현이 앞선다는 조사와도 일맥상통하는 부분이다.

남구 갑 여론조사에서 보수성향이 7% 과 표집이 되었다. 그것을 적용하면 3% 정도 예상. 그렇기에 실제 선거에서는 이 부분이 영향을 미칠 것이다. 그것을 감안한다면 민주 42.5%, 국민의힘 43%가 될 것이다. 그리고 투표율이 영향을 미칠 것이다. 2% 정도 예상이 된다. 지난번 선거에서 68%였으니, 이번 선거는 72% 정도가 예상된다. 그러면 민주 44.5% 국민의힘 43%가 된다. 여기서 또 하나의 변수는 민주 미래연합이다. 2.5% 정도 차지한다. 민주 미래연합은 절대 국민의 힘에는 투표하지 않을 것이다. 그러니 2% 정도 민주당에 유리한 정도가 된다. 그러면 민주 46.5% 국민의힘 43%가 된다. 조국 신당이 가져올 비율 2%라면 민주 48.5, 국민의힘 43%가 된다. 여기서 김기현 경쟁력 5% 감 안 하면 48.5대 48

정도가 될 것이다. 사전 투표 37% 본투표 38%, 예상 75%일 때, 2% 민주 유리==>50.8%대 48% 예상

- 투표율과 선거 판세의 연관 관계

사전투표율이 높을수록 민주당에 유리하다. 물론 다른 지역에는 국민의 힘이 유리한 지역도 있겠으나 울산 남구을만을 볼 때 유리한 것이 확실하다. 그 이유는:

첫째, 국민의 힘 지지층은 60대 이후가 주류를 이룬다. 60대 이후는 언제나 투표율이 높다. 그렇기에 투표율이 낮던지, 높던지 60대 이후가 미치는 영향은 아주 미미하다. 하지만 다른 세대는 다르다. 국민의 힘의 투표율을 A라고 하고 다른 세대를 B라고 하자. A는 투표율이 항상 고정되어 있기에 투표율이 낮을수록 유리하다.

둘째, 투표율이 높다는 것은 다른 세대가 투표에 참여한다는 의미다. 다른 세대는 민주당에 우호적이기에 투표율이 높으면 높을수록 민주당에 유리한 것이다. 투표율이 높으면 최소한 2~3% 정도 영향을 미칠 것으로 생각한다.

- 조국 변수

여론조사 항목이 누구에게 투표할 것인가? 1. 박성진, 2. 김기현 이렇게 둘만 놓고 묻는다면 조국이 배제된다. 조국이 배제된다는 것은 지역구 후보에 관심이 없는 조국을 지지하는 사람이 답변하지 않을 수 있다. 하지만, 비례에 조국을 찍으러 나온 사람이라면, 지

역구 투표는 박성진을 찍을 것이다. 그렇기에 둘만 묻는 질문에는 조국의 영향이 배제된 것이다. 조국을 지지하는 사람이 거의 25%~30%가 된다. 그들 중 반은 민주당 지지자이며, 나머지는 조국 혁신당 자체를 지지하는 사람들이다. 물론 둘 중 누구를 지지할 것이냐는 물음에 조국 혁신당 지지자 중 상당수는 박성진이라 답했을 것이다. 하지만 그렇게 답하지 않은 사람도 분명 존재한다. 그것이 몇 %나 될지는 알 수 없지만, 최소한 2~3% 정도는 박성진에게 우호적이 되리라 생각한다.

- 윤석열 부정 평가

갤럽 마지막 조사에서 윤석열 국정운영에 대한 부정 평가가 부·울·경이 59%가 나왔다. 호남과 수도권 다음으로 높은 수치이다. 구체적인 수치로 말하기는 어렵지만, 국민의 힘에 대한 부정적인 분위기는 읽을 수 있다.

며칠 전 자체 여론조사에서 김기현 46.9%, 박성진 47.2%라는 여론조사가 나왔다. 투표율이 70% 내외 그리고 조국 영향은 5% 내외 민주당에 우호적으로 작용할 것이다. 보수적으로 잡아도 4% 정도가 될 것이며, 그것을 여론조사에 대입하면 50.9%대 47.2%가 된다. 이런 요인으로 추정할 때 박성진 후보가 2~3% 승리할 것이다.

4장. 더불어 잘 사는 울산

*달빛 어린이병원 유치

 달빛어린이병원 2024년 1월 기준 전국 66개소 운영 중! -전국 17개 시도 중 달빛어린이병원 없는 곳 광역시 중 울산이 유일!

 17개 특광역시중 의료 인프라가 가장 열악한 곳이 울산이라는 것은 자명한 사실입니다. 그중에서도 소아·청소년의 의료는 더 상황이 좋지 않습니다.

 육아의 과정에서 힘든 부분 중 하나가 바로 아이가 아픈 상황입니다. 특히 일반적인 진료가 끝나고 난 한밤중이나 주말, 휴일, 명절 연휴와 같은 기간에 아기가 열이 많이 나거나 아파서 울게 된다면 정신을 차리기 어려울 정도로 혼란스러움에 빠집니다. 이런 상황에서는 대부분은 대형병원의 응급실을 찾아가곤 합니다. 하지만 막상 도착하면 긴 대기시간 및 혼란스러운 상황을 마주하게 되곤 합니다.

 응급실의 경우 생사를 다투고 있는 상황이기 때문에 아이라고 해서 먼저 배려해 주거나 진료를 진행해 줄 수도 없습니다. 외상 환자들이 많기도 하기에 아이들이 불안감에 시달릴 수밖에 없습니다. 또한 진료비의 부담도 무시할 수 없는 부분입니다. 이러한 불편을 해소할 수 있는 병원이 바로 달빛 어린이병원입니다.

 달빛어린이병원은 응급실 외 평일 야간 시간대 및 휴일(토·일·공휴일) 소아 경증 환자에게 외래 진료를 통해 신속한 의료서비스를 제공하고, 소아 야간·휴일 진료 기관 확대를 유도하여 응급실 소아 경증 환자 분산, 응급실 이용으로 인한 불편 및 비용 부담을 경감하는 제도로서 2014년부터 보건복지부에서 운영하는 제도입니다.

달빛어린이병원은 현재 17개 광역 시도에 66개소가 지정, 운영되고 있습니다. 하지만 울산에는 달빛어린이병원이 단 한 곳도 없습니다. 울산은 가장 젊은 도시이고, 아동 청소년의 비율도 높은 편입니다. 특히 울산 소아 청소년 0~19세 인구는 188.548명이고, 남구는 0~19세 인구가 48.058명으로 소아 청소년 진료 대상자가 25%에 이릅니다.

울산은 촘촘한 보육, 의료, 복지 등 환경 조성으로 아이부터 노인까지 누구나 안심하고 일상을 즐기는 도시를 구현하겠다는 비전을 내세웠으나, 실상은 전국 평균에도 미치지 못하는 안타까운 현실입니다.

울산에 달빛어린이병원 지원 조례가 최근 제정되었습니다. 달빛어린이병원을 울산에 지정 유치하기 위해선 행정과 의료계, 주민과 정치권이 함께 힘을 모아야 합니다. 울산시와 구, 군이 조금 더 적극적으로 지역 의료기관을 설득해야 합니다.

저 박성진은 2017년부터 국립병원 유치위원회 공동 위원장을 맡아 울산의 의료 인프라 구축을 위해, 끊임없이 노력하고 있습니다. 국회의원이 되어서 소아청소년과의 중요성에 대한 인식을 높이고 울산 내에서 소아청소년과의 가치를 홍보하고 소아청소년과 의료 수준을 개선하는 데 앞장설 것이며, 반드시 울산 남구에 달빛어린이병원을 지정 유치하겠습니다.

*대기업, 공공기관 40% 우선 채용

현재 수도권 인구집중 및 지방 소멸 문제가 심각한 상황에 처했습니다. 그것을 해소하기 위한 가장 좋은 해법은 지방에 청년 일자리를 만드는 것입니다. 대기업뿐만 아닌 중소기업도 수도권 대학 출신 인재를 선호하기에 상대적으로 지방대학 출신 청년은 일자리를 찾기가 어렵습니다.

그 심각성은 어제, 오늘의 문제가 아닙니다. 그런 문제를 타개하기 위하여 '지방대학 및 지역 균형 인재 육성에 관한 법률 개정안'이 발의되었습니다. 그 내용 중 **'공공기관의 운영에 관한 법률'에 따른 공공기관 중 수도권(서울·경기·인천)이 아닌 비수도권에 소재한 공공기관은 신규 채용인원의 35%를 지역인재로 채용해야 한다는 의무 조항**을 새로 신설하여 1월 25일 의결되었습니다.

그런데 이 개정안은 공공기관에 국한되어 있으며, 기업은 해당되지 않습니다. 공공기관에서 채용하는 인원은 기업에 비해 아주 소규모입니다. 공공기관과 함께 기업도 지방 출신 인재 신규 채용을 의무화하여야 지방소멸 위기와 지방의 청년 일자리 문제를 해결할 수 있습니다.

기존 '지방대 육성법'은 공공기관과 상시 근로자 수 300인 이상 기업에서 신규 채용인원의 일정 비율을 지방대 출신으로 채우도록 권고하고 있습니다. 하지만 이 법은 권고일 뿐이지 법적으로 강제할 수 있는 법이 아닙니다. '지방대 육성법'은 규제력이 부족하여 현실적으로 적용되는 것에는 한계가 있으며, 그로 인해 지역인재의 수도권 유출이 심화되고 있는 것이 현실입니다. 그것은 수도권 인구집중이라는 결과를 만들었으며, 국가의 균형발전을 저해한 중요한 요인이 되었습니다.

이러한 문제를 해결하기 위해서는 비수도권 공공기관의 지역인재 신규 채용을 의무화하고 공공기관에서 선도적으로 정책을 수용하도록 유도함과 동시에 기업의 채용 현황도 공개하여 적극적인 이행을 독려할 필요가 있습니다. 지방소멸과 청년 일자리 문제 그리고 저출생 문제까지 현 대한민국 현실에 직면한 복합적인 문제를 해결하기 위해서는 특단의 조치가 필요합니다.

저 박성진은 이러한 문제를 해결하기 위해, 현행 비수도권 공공기관뿐만 아니라 300인 이상 기업 신규 채용 시 학력 구분을 두지 않는 지방 출신 인재를 의무적으로 채용하는 법을 제정 및 개정하겠습니다. 이 법안은 해당 지역 2년 이상 거주한 청년을 대상으로 하며, 비율도 35%가 아닌 40% 이상으로 상향하여 채용하도록 하는 내용이 담길 것입니다.

또한, 지방소멸의 큰 요인은 지방의 일자리는 줄어들고 수도권에 일자리가 많다는 것입니다. 일자리의 지방 분산이 절실한 상황입니다. 현재 용인에 300조를 들여 삼성반도체 공장을 짓는 것을 추진하고 있습니다. 이것 또한 수도권 인구집중을 더욱 심화시키는 결과를 초래할 것입니다. 지방 균형 발전을 위해서라면 용인에만 공장을 지을 것이 아니라 지방에 분산하여 공장을 세워야 합니다.

저 박성진은 이에 합당한 법안을 만들어 울산에 삼성 반도체 공장의 일부라도 유치하겠습니다. 일부라 하더라도 엄청난 규모가 될 것이며, 그것은 울산지역에 청년 일자리를 만드는 효과와 울산 발전에 기여할 것입니다.

삼성반도체 공장 중의 일부를 울산으로 유치한다면 울산 출신 인재가 외부로 유출되는 것을 막을 수 있을 뿐만 아니라 타 지역 인재를 울산으로 영입하는 효과도 얻을 수 있을 것입니다.

*부유식 해상풍력사업

에너지는 산업의 바퀴를 힘차게 굴러가게 만드는 동력입니다. 울산에는 바다가 있어 공해를 유발하지 않고도 해상풍력으로 에너지를 만들 수 있는 천혜의 조건을 갖추고 있습니다. 특히 울산은 국가 공단지역이기 때문에 환경에 취약하고, 미세먼지도 강한 지역이라 다른 지역보다 더 환경이 중요시됩니다. 화석 연료를 사용하지 않으므로 이산화탄소 등의 온실가스 배출을 줄일 수 있으며 지구를 위협하는 기후 위기 문제를 완화하는 데도 도움이 됩니다. 그리고 한번 설치하면 오랫동안 지속 가능하다는 장점도 있습니다.

이미 해상풍력발전 사업은 원전 6기 규모에 해당하는 6.6GW를 지난 송철호 시장 시기에 발전 사업허가를 받아놓은 상황입니다. 이 발전량이면 1천만 가구에 전기 공급이 가능합니다. 산업을 포함한 울산의 모든 가정에 무상전기·무상교통 등을 가능하게 하고 설계·제작·조립·운송·설치·관리 운영 등 전 영역에서 약 4만 5천 개의 일자리가 생깁니다.

울산의 부유식 해상풍력단지가 조성되면 발전량이 늘어나 지자체 주도형 인센티브 등 법과 제도에서 보장하는 지원액도 상당히 늘어날 것입니다.

저 박성진은 울산 시민 모두에게 '그린에너지 울산형 기본소득'으로 연간 1인당 75만 원을 지급할 수 있게 만들겠습니다. 또한, 원전 주변 지역의 경우 일정한 원전지원금이 나오듯 '발전소주변지역지원에 관한 법률'에 따라 부유식 해상풍력 역시 발전량이 늘면 국가가 보장하는 지원금이 나오게 될 것입니다. 이걸 이미 신안군에서는 시행하고 있는데 규모가 작기에 햇빛 연금이라는 이름으로 군민에게 일정 금액을 주고 있습니다. 그런데 울산은 규모가 엄청나고 신안군 태양광 효율보다 부유식 해상풍력 효율이 훨씬 높기에 생산되는 발전량이 엄청나서, 시민에게 돌아가는 금액도 많을 것이며, 점점 더 늘어날 것입니다.

또한, 에너지 수입을 대체해 에너지 안보의 첨병이 될 것이며, 탄소국경세에 적극 대응할 수 있어 울산의 전통 수출산업은 더욱더 성장할 것입니다. 그리고 한번 설치하면 오랫동안 지속 가능하다는 장점도 있습니다.

주민 참여 형으로 주민들과 이익이 공유되게 하겠습니다. 발전량의 크기에 비례하는 신재생에너지 공급인증 수익과 배당금을 모두 합하면 매년 1조 4,000억 원에 달하고 이를 각종 정책사업의 종자돈으로 사용할 수 있습니다.

이미 시행 중인 탄소배출권거래제도 하에서 재생 에너지 공급인증서(REC)가 마치 주식처럼 시장에서 거래되는데, 발전량이 어마어마하기에 REC도 어마어마한 수익이 나올 것입니다.

또한 세계는 ESG 경영을 도입하면서 많은 분야에서 환경과 지구에 관한 관심이 높아지고 있습니다. 그것은 현재보다 더 많이 신재생에너지를 사용한다는 것을 의미합니다.

울산 남구을 지역인 장생포 등에 부지를 확보하여 부유식 해상풍력 제조 기지를 만들겠습니다. 시민에게 이렇게 많은 이익을 가져다줄 해상부유식 풍력발전 사업이 울산시장이 바뀌면서 현재 표류하고 있어 너무나 안타깝습니다.

저 박성진이 나서서 이 사업을 완수하여 남구을 주민 모두에게 많은 혜택이 돌아갈 수 있도록 최선을 다할 것을 약속드립니다.

안녕하십니까.

방송 언론사 기자 여러분! 존경하는 울산시민 여러분!

더불어민주당 제22대 국회의원 선거 울산 남구을 민주당 후보 시민과 함께 발로 뛰는 현장 정치인 박성진입니다.

'지방소멸'이 오랜 기간 주요 국정 의제로 다양한 정책을 추진했음에도 수도권 과밀과 지역 간 불균형, 지방인구의 급감과 경제력 하락이 심화되고 있습니다. 지방인구의 급감은 울산에서도 마찬가지로 진행되고 있습니다. 그 원인은 청년 인구가 울산을 떠나고 있다는 것에서 찾을 수 있습니다. 특히 울산의 청년 인구인 20·30세대의 비율은 23.8%로써 전국 광역시 중 최하위입니다. 이것은 울산이 청년이 얼마나 살아가기 어려운 도시인가를 보여주는 증거입니다.

청년이 겪는 현실에 반응하는, 주거 문제와 일자리 보장을 위한 정책을 요구하는 목소리를 외면한 채, 몇 십만 개의 일자리만 창출하면 청년의 문제가 해결된다는 식의 정책을 폈습니다. 지난 5년간 청년 일자리 예산은 3배 가까이 증가하였지만, 청년실업률은 계속해서 악화되었고, 청년들이 느끼는 일자리에 대한 갈증은 해소되지 않았습니다. 청년 정책은 사실상 실종 상태가 계속되고 있는 것입니다.

청년 문제를 단순히 '일자리를 늘리면 해결될 문제'로 보아서는 안 됩니다. 전국적인 수준에서 균형적이고 종합적인 청년 정책의 수립과 시행을 위한 제도적 기반이 필요합니다. 단순히 청년을 '취업을 원하는 자'로 정의하여 지원하는 것으로는 청년들이 사회 진입 과정에서 겪는 사회경제적 문제를 해결할 수 없습니다.

청년이 울산을 떠나는 가장 큰 이유는 '일자리 문제'와 '주거 문제'입니다. 저 박성진은 이러한 문제를 해결하기 위해, 다음과 같은 구체적이며 실효성 있는 법안을 만들 것입니다.

첫째, 일자리 문제 해결책입니다. 비수도권 공공기관뿐만 아니라 300인 이상 기업 신규 채용 시 학력 구분을 두지 않는 지방 출신 인재를 의무적으로 채용하는 법을 제정 및 개정하겠습니다. 이 법안은 해당 지역 2년 이상 거주한 청년을 대상으로 하며, 비율도 40% 이상으로 상향하여 채용하도록 하는 내용이 담길 것입니다. 울산은 산업도시이므로 이 법안이 시행되면 많은 청년이 울산으로 돌아올 것입니다.

둘째, 청년 주거 문제 해결책입니다. 청년 주거 문제가 사회문제로 인식되며 정책 의제로 들어선 지 오래입니다. 하지만 정부와 지방자치단체의 다양한 노력 속에서도 실효를 거두지 못하고 있는 것이 현실입니다. 청년이 체감할 수 있는 주거 정책이 필요합니다. 그래서 저 박성진은 울산형 만원 주택을 시행하겠습니다.

─울산형 만원 주택이란

보증금 없이 월 임대료 1만 원만 내면 됩니다. 청년, 신혼부부는 아파트 관리비만 부담하면 되며 주거비용 훨씬 경감될 것입니다. 거주기간은 청년 최장 6년, 신혼부부 최장 10년입니다. 주택규모는 청년 구 24평형, 신혼부부 구 32평형 이하로 할 것입니다.

일자리와 주거 문제 해결이라는 이 두 가지 정책이 시행되면 울산은 청년이 훨씬 살기 좋은 도시가 될 것입니다.

*소상공인·자영업자 여러분!

- 국회의원의 소명은 시민의 삶을 희망으로 채우는 것입니다.

안녕하십니까.
방송 언론사 기자 여러분! 존경하는 울산시민 여러분!
더불어민주당 제22대 국회의원 선거 울산 남구을 민주당 후보
시민과 함께 발로 뛰는 현장 정치인 박성진입니다.

우리 경제의 뿌리이자 민생경제의 근간인
소상공인·자영업자들은 3 高와 경기침체로
코로나19 때보다 더 어려운 시기를 겪고 있습니다.
지난해 자영업자 대출은 1,050조 원을 넘어섰고,
기준금리가 7배 상승하여
이자 부담이 천정부지로 치솟았습니다.
다중채무자가 178만 명에 이르고, 다중채무자이면서
저소득·저신용인 취약자 수는 39만 명,
대출은 무려 116조 원에 달합니다.

지난해 소상공인이 대출금을 갚지 못해
지역 신용보증재단이 대신 갚은 대위변제액이
무려 1조 5,500억 원에 달합니다.
금리 부담이 소상공인·자영업자들을
벼랑 끝으로 내몰고 있습니다.

더불어민주당과 저 박성진은 소상공인·자영업자들의
금리 부담과 경영 부담을 낮추고,
매출을 확대하여 맘 편히 일하고 장사할 수 있는
환경과 기반을 만들겠습니다.

**첫째, 고금리로 인한 소상공인·자영업자들의 금리 부담을
대폭 낮추겠습니다.**

소상공인 정책자금을 2배 이상 확대하고
저금리 대환대출 예산을 대폭 반영하여
소상공인·자영업자들에게 이자 감면 혜택을 제공하겠습니다.
소상공인이 급하게 돈이 필요할 때 이용하는
고금리의 보험약관대출을 합리적인 가산금리 책정으로
저금리로 전환하겠습니다.
소상공인의 사업체당 부채액은 1억 8,500만 원인데
영업이익은 3,100만 원에 불과합니다.
이자를 감안하면 6년간 영업이익을 쏟아 부어도
부채를 갚을 수 없습니다.
소상공인·자영업자들이 상환 압박에서 벗어나
중장기로 갚을 수 있는 장기·분할 상환(10~20년)
대출프로그램을 도입하겠습니다.

**둘째, 지역화폐와 온누리상품권 발행 규모를 대폭 확대하여
소상공인·자영업자의 매출을 늘리겠습니다.**

코로나19보다 어려운 시기인 만큼 코로나 시기보다
지역화폐 발행 규모를 대폭 확대하여 골목상권을 살리겠습니다.
지역화폐의 국비 지원을 상시화하고 온누리상품권의
사용처를 합리적으로 개선하고 확대하겠습니다.
전통시장에만 적용되는 신용카드 소득공제를
지역화폐와 온누리상품권이 사용 가능한 소상공인
모든 점포로 확대하여 매출 증대에 도움이 되도록 하겠습니다.

**셋째, 소상공인·자영업자의 폐업지원금을 확대하고
신속한 재도전을 지원하겠습니다.**

경기침체로 소상공인·자영업자들의 폐업이 속출하고 있습니다.
지난해 폐업 사유로 지급된 노란 우산 공제금이 1조 원을 넘어섰습니다.
그런데 소상공인·자영업자들은 폐업하고 싶어도
높은 철거비와 원상복구 비용, 대출금 일시 상환으로 인해
폐업도 못 하고 이자를 내기 위해 대출을 받아야 하는
악순환이 반복되고 있습니다.
2022년 기준 폐업에 소요되는 비용은
평균 약 2,323만 원에 달하지만 폐업지원금은
최대 250만 원에 불과합니다.
소상공인·자영업자들의 원활한 폐업과 재도전을
지원하기 위해 폐업지원금을 1,000만 원까지 대폭 상향하고,
주유소, 목욕탕 등 철거 비용이 높은 업종은

추가 지원도 검토하겠습니다.

폐업 시 대출금 일시 상환유예로 적시 폐업 후
신속한 재도전을 지원하겠습니다.

소상공인의 마지막 보루인 노란우산공제의
최소 납부 금액을 완화하고 신규가입자 지원을 확대하겠습니다.
특히 폐업·사망·노령 등의 경우에는 공제금 수령 시
비과세를 적용하여 소상공인·자영업자들에게
조금이나마 도움이 되도록 하겠습니다.

덧붙여, 소상공인 경쟁력 향상 및 지역경제 활성화를 위해
빈 점포 창업지원 사업과 함께 소상공인에게 창업에
도움을 줄 수 있는 세무, 노무, 법률, 사업 홍보 등
경영 컨설팅까지 제공해 빈 점포 창업을 희망하는
소상공인들을 적극 지원할 것입니다.

소상공인·자영업자가 살아야 민생도 살고 경제도 살아납니다.
국회의원의 소명은 시민의 삶을 희망으로 채우는 것입니다.
저 박성진은 3 高와 경기침체로 큰 어려움에 처해 있는
소상공인·자영업자들이 부담은 줄이고 매출은 늘릴 수 있는
환경을 반드시 만들겠습니다.
감사합니다.

2024년 3월 19일

더불어민주당 울산 남구을
국회의원 후보 박성진

*재생 에너지 관련 산단 내에 태양광 설치 법안 제정

지구는 지난 1만여 년 동안 평균온도가 4℃ 정도
상승했지만, 산업혁명 이후 200년이라는 짧은 시간 동안
지구 평균기온 1℃가 상승하면서
지구는 엄청난 위기 상황에 직면하고 있습니다.
21세기, 지구상의 중요한 화두 중 하나는
바로 '기후 변화'입니다. 기후 변화의 주요 원인 중 하나는
탄소를 주요 원료로 사용하는 화석 연료 기반의
에너지 생산이 큰 비중을 차지한다는 것입니다.

이러한 문제인식 하에, 세계의 주요 기업들은
'RE100'을 시행하고 있습니다. RE100은 100%
재생 에너지를 사용하는 것을 목표로 하는 프로젝트입니다.
이것은 전 세계 에너지 시장에 큰 변화를 가져왔습니다.
미국 애플과 구글, 독일 BMW 등 주요 글로벌 기업 399개가
RE100을 선언했습니다.
RE100을 통해 2050년까지 사용 전력의
100%를 재생 에너지로 전환하겠다고 약속했습니다.
문제는 주요 글로벌 기업들이 RE100을 실천하기 위해
거래 기업이나 협력사에 재생 에너지 사용을 요구하면서
한국 수출기업들도 영향을 받게 됐다는 점입니다.

문제는 한국 정부가 아직도 RE100 캠페인이

실현이 어렵다는 핑계로 원전을 중심으로 한 CF100을
고집하고 있는 상황입니다.
세계적인 추세에 민감하게 대응하지 않는다면
수출로 먹고사는 한국에는 치명적인 약점이 될 것이며
수출 길이 막히게 될지도 모릅니다.
또한, 재생 에너지 사용은 수출 환경 개선뿐만 아니라,
우리가 숨 쉬는 환경을 개선하는 효과가 있습니다.

이에 저 박성진은 2050 탄소제로 사회 실현을 위한
중장기 계획 마련을 위해 먼저
[산단 내에 태양광 설치 지원 법안]을 제정하겠습니다.

울산에는 수많은 기업이 있습니다.
공장이나 지붕 등에 태양광 기기를 설치하면
많은 재생 에너지를 얻을 수 있으며,
생산에 바로 사용할 수 있다는 이점이 있습니다.
그러면 원가절감뿐만 아니라,
탄소배출 감소로 인한 환경 개선,
수출 장벽 해소 등 큰 효과를 기대할 수 있습니다.
환경은 미래 세대에 빌려 쓰는 것입니다.
깨끗하게 쓰고 물려주어야 할 무엇과도 비할 수 없이
큰 가치를 지니는 것입니다.
환경 위기 극복에 저 박성진이 앞장서겠습니다.
마치는 글

- 낙선 인사

　안녕하세요. 민주당 남구을 국회의원 후보 박성진입니다. 이번에 저의 부족함으로 여러분의 선택을 받지 못했습니다. 비록 낙선했지만, 선거운동 동안 저를 응원해 주시고 힘을 주시고 지지해 주신 시민 여러분께 무한한 감사를 드립니다. 또한, 저를 선택해 주지 않으신 시민 여러분께도 더욱 열심히 준비하라는 뜻으로 받아들이며, 감사의 말씀을 드립니다. 비록 선택받지는 못했지만, 결과를 겸허히 받아들이고자 합니다. 함께 해주신 모든 분께 감사드립니다.

22대 총선 남구을 결과는 국민의 힘 김기현 56.22%대 민주당 박성진 43.77%이다. 사전 투표 날 민주당 자체 여론조사에서는 박성진이 0.3%이기는 것으로 나왔다. 하지만 결과는 예상 밖으로 크게 뒤졌다. 여러 가지 요인이 있겠으나 투표율이 65% 정도로 낮은 것이 원인이 아닐까, 생각한다.

박성진 후보는 정말 열심히 뛰었다. 아침 6시 경이면 비가 오나 오지 않으나 하루도 빠지지 않고 명촌교 입구로 나가 시민에게 인사했다. 그 열정은 대단했다. 선거 3일 전에는 72시간 무박 선거운동을 하기도 했다.

울산 남구을 선거구는 보수 텃밭이라는데 이견이 없다. 선거운동 기간 내내 언론에서는 국민의 힘이 당연히 당선되는 지역으로 보았다. 민주당 내에서조차 당선 가능성을 회의적으로 바라보았다. 하지만 우리는 자신이 있었다. 일단 윤석열 정부에 대한 지지도가 최악이었으며, 김기현을 안 좋게 생각하는 유권자도 많이 만났기 때문이다. 그리고 부산과 경남지역에서 민주당 후보가 선전하고 있었기에 어느 정도 바람도 불었다고 생각했다.

국민의 힘이 당연히 당선되는 지역이라 생각했는지 여론조사조차 하지 않았다. 그렇기에 여론의 흐름을 알 수 없어 답답했다. 하지만 희망을 버리지 않고 최선을 다했다.

결과도 중요하지만, 결과 못지않게 과정도 중요하다. 어쩌면 과정이 더 중요할 수도 있다. 최선을 다하고 결과는 하늘에 맡길 수밖에 없는 것이다.

153

아쉬움이 많은 선거였지만, 최선을 다했다. 그리고 그 과정을 책으로 남긴다. 선거기간 동안 보도자료, 기자회견문, 릴스, 유튜브, 연설문 등 많은 글을 썼다. 기록하지 않으면 그런 것들이, 우리가 최선을 다한 것들이 휘발되어 날아가 버리고 나중엔 기억조차하기 어렵게 된다.

기록하면 우리뿐만 아니라 선거를 준비하는 다른 사람에게도 도움이 되리라 믿는다.